Universo dos Livros Editora Ltda.
Rua Haddock Lobo, 347 – 12º andar – Cerqueira César
CEP 01414-001 • São Paulo/SP
Telefone: (11) 3217-2600 • Fax: (11) 3217-2616
www.universodoslivros.com.br
e-mail: editor@universodoslivros.com.br

SERGIO J. CIDES

Coleção Negócios de Sucesso

Marketing
para negócios de sucesso

São Paulo
2009

UNIVERSO DOS LIVROS

© 2009 by Universo dos Livros
Todos os direitos reservados e protegidos pela Lei 9.610 de 19/02/1998. Nenhuma parte deste livro, sem autorização prévia por escrito da editora, poderá ser reproduzida ou transmitida sejam quais forem os meios empregados: eletrônicos, mecânicos, fotográficos, gravação ou quaisquer outros.

Diretor Editorial
Luis Matos

Projeto Gráfico
Fabiana Pedrozo

Assistência Editorial
Regiane Monteiro
Renata Miyagusku

Diagramação
Fabiana Pedrozo
Stephanie Lin

Preparação
Maria Luiza Oliveira

Capa
Sérgio Bergocce

Revisão
Shirley Figueiredo Ayres

Dados Internacionais de Catalogação na Publicação (CIP)
(Câmara Brasileira do Livro, SP, Brasil)

C568m   Cides, Sérgio J.
          Marketing para negócios de sucesso – vol. 1 / Sérgio J. Cides. – São Paulo: Universo dos Livros, 2009.
          96 p. – (v. 1)

          ISBN 978-85-7930-018-9

          1. Marketing. 2. Comunicação.
I. Título.

CDD 658.8

O bom senso é a coisa que Deus melhor distribuiu entre os homens porque, mesmo aqueles que nunca estão satisfeitos com nada, jamais se queixam de que a natureza não lhes deu bom senso suficiente.

(René Descartes, em *O discurso sobre o método*)

Sumário

Introdução 9

Capítulo 1: O que é marketing? 13

Capítulo 2: Qual é o seu negócio? 25

Capítulo 3: Quem é o seu consumidor? 29

Capítulo 4: A escolha do nome 35

Capítulo 5: O logotipo 41

Capítulo 6: As cores 47

Capítulo 7: Quem é seu concorrente? 53

Capítulo 8: O que é comunicar? 59

Capítulo 9: Um mistério chamado promoção 67

Capítulo 10: Vitrines 77

Capítulo 11: Embalagem 81

Introdução

Durante mais de 20 anos trabalhei com marketing de empresas. Depois disso, tenho atuado como consultor na área comercial.

Passei por empresas como Cica, Colgate-Palmolive, Heublein e Kibon, que estavam, na época, entre aquelas que praticavam o Grande Marketing no Brasil. Aprendi muito, também fiz várias besteiras, mas me orgulho de ter realizado muitas coisas boas, ousadas e criativas.

Um belo dia resolvi ser consultor e, como era de se esperar, meus clientes já não eram as grandes empresas como aquelas nas quais eu me havia iniciado nos mistérios do marketing. Ao contrário, eram lojas, pequenas empreiteiras de mão-de-obra, hospitais, indústrias caseiras e familiares, escolas e outras do gênero.

Naquele momento, percebi que o Pequeno ou Micro empresário falava de marketing como algo cheio de mistério intergaláctico e inatingível para sua modesta empresa.

Procurei literatura especializada e nada encontrei (talvez não tenha sabido procurar). Achei um punhado de ótimos livros, a maioria em inglês, cheios de teorias, mas nada que pudesse ser utilizado ou, sequer, adaptado para a peculiar realidade brasileira da Micro e Pequena empresa. Os exemplos que encontrará neste livro são, na grande maioria, de produtos existentes no mercado brasileiro, e muitos deles fazem parte de seu dia a dia, quer como consumidor, quer como observador do mercado. Alguns exemplos foram tirados de minha vida profissional, o que dá à obra um caráter prático, porque vivenciei, participei e fui o "culpado" de muita coisa que consta no volume.

A realidade de cada país é diferente: são leis particulares; recursos financeiros, humanos e materiais diferentes; usos e costumes peculiares. Portanto, de tudo o que se lê em livros escritos fora do país, grande parte serve apenas como curiosidade comparativa, mas, na prática, quase nada se aproveita. Embora os fundamentos teóricos sejam os mesmos, os desdobramentos práticos raramente são transmissíveis de um país para outro. Como bem disse o jornalista Joelmir Betting: "Na prática, a teoria é outra".

Foi isso o que me animou a organizar esta obra: transmitir, de forma esquematizada, um pouco da prática que consegui amealhar no mercado brasileiro de bens de consumo de massa e de serviços. É a experiência de um profissional ativo que errou e acertou, tendo lançado mais de cem novos produtos; alguns muitos bem-sucedidos, outros não e, uns poucos, com estrondoso sucesso.

Aprendi com os erros, mais do que com os acertos.

Tudo o que eu havia aprendido e praticado nos "Vaticanos" do marketing, onde eu havia trabalhado duro, como disse, precisou ser deixado de lado e reavaliado.

Fui aprender tudo de novo, com a única vantagem de que, agora, em razão da experiência adquirida nas grandes empresas por onde havia passado anteriormente, meu aprendizado foi muito mais rápido.

Vi, vivi e senti a realidade do Micro e Pequeno empresário, lutando para, antes de crescer, manter-se vivo. Esse empresário é cheio de garra, vontade de empreender e boas ideias, mas está, quase sempre, se debatendo para descobrir como fazer para conseguir o famigerado capital de giro, compensar a folha de pagamentos e os encargos sociais, convencer o gerente do banco a descontar as duplicatas de clientes menores, empurrar os pagamentos dos fornecedores, atender à fiscalização, pagar mais imposto do que a Petrobras e, com tudo isso azucrinando sua cabeça, ter que aparentar otimismo e bom humor para não deixar cair o moral dos funcionários e dos vendedores.

Aí, esse nosso herói – que pode ser você – ouve alguém dizer que a única forma de quebrar esse círculo vicioso é introduzir marketing em seu negócio. *Mas ele pensa que não sabe como fazer marketing.* Entra em contato com uma agência de propaganda. Dessas de bairro mesmo. Conta mais ou menos qual é o seu problema para o dono da agência e, em uma semana, o "diretor de atendimento" lhe aparece com uma enorme pasta debaixo do braço, cheia de desenhos, planos mirabolantes e, principalmente, custos estratosféricos. Se for aplicar a décima parte do que está sendo recomendado, quebra a empresa. A essa altura, nosso amigo empresário acaba desistindo desse tal de marketing pelo resto da vida.

Ora, ele já pratica, em seu negócio, uma série de atividades de marketing. Se tivesse um pouquinho de orientação para sistematizar tudo aquilo que ele já conhece de seu negócio, teria plenas condições de fazer certo algumas das coisas que vêm fazendo errado, ou de fazer algumas outras que ainda não foram feitas.

Nessa experiência vivida com colegas, Micro e Pequenos empresários, descobri algumas das necessidades de informação de que precisam e que, se aplicadas, poderão mudar a cara de seus negócios. São essas informações práticas que o leitor encontrará neste livro.

Boa leitura!

CAPÍTULO 1 O que é marketing?

Cada um de nós conhece pelo menos meia dúzia de excelentes definições para esta palavra. Existem centenas delas. Algumas são, até mesmo, contraditórias e conflitantes entre si.

Ora, qualquer coisa que tenha tantas definições corre o risco de não ser levada muito a sério. E, o que é pior, muitos daqueles que se dizem especialistas no assunto podem não passar de charlatões.

Se você que está começando a ler este livro for dono ou funcionário de uma grande e poderosa empresa, agradeço por ter comprado a obra, mas aconselho-o a não perder tempo com a leitura. Provavelmente já está contaminado por alguma agência de publicidade que o convenceu de que fazer marketing é anunciar na Rede Globo ou alugar camarote no Sambódromo para levar os amigos. Que inocência! Você está dando dinheiro para que "marketeiros" e "marreteiros" se promovam, farreiem e ganhem prêmios às suas custas. Ou, ainda, à custas de seu patrão.

Meu objetivo é falar com o Micro e Pequeno empresário, que sabe o valor de cada centavo e que, ao aplicá-lo, quer saber qual será o retorno e quando é que esse centavo – acompanhado de outros – voltará para o seu caixa.

Agora, para você, que continua a ler, vou contar o que é, realmente, essa misteriosa coisa chamada de *marketing*.

> Marketing é o conjunto das atividades que fazem com que sua empresa venda mais e com maior lucratividade.

Sua telefonista atende direitinho a cada chamada? Então, ela é uma atividade de marketing. Sua loja, escritório, ou fábrica está em ordem, é agradável aos olhos (e ao olfato) dos clientes? Então, essa é outra atividade de marketing.

O vendedor está bem treinado, conhece os produtos, tem garra, confiança em si e na empresa? Conte mais uma atividade de marketing. Você entrega no prazo combinado? O entregador é cordial? A qualidade do produto é aquela que foi prometida nos folhetos de propaganda? O folheto está bem impresso, sem grotescos erros de ortografia? A placa da loja é visível e limpa? A embalagem do produto é caprichada? A balconista trabalha sabendo que a pessoa mais importante dentro da loja não é ela, mas a freguesa? Você conhece seus clientes? Dá atenção a eles? Sabe do que eles gostam e do que têm queixas?

Esses e mais milhares de pequenos detalhes são atividades que fazem parte integrante do marketing de sua loja, e de seus produtos ou serviços.

Quanto a anunciar, essa é apenas uma dentre tantas outras atividades que, embora importantíssima, não é o ponto de partida do marketing.

Lembro-me de um dia em que visitei uma grande e famosa agência de propaganda. Eu trabalhava na Heublein, e estava selecionando uma agência para cuidar da publicidade de um de nossos produtos. O presidente da agência atendeu-me com toda a deferência, mostrou as instalações, falou da estrutura da agência, de cada departamento e, finalmente, foi mostrar o portfólio dos comerciais de televisão que haviam criado nos últimos anos. Ao apresentar um dos comerciais que mais tinham sido veiculados, o presidente fez o seguinte comentário: "Com esse comercial, as vendas do produto dobraram em poucos meses, tornando-o líder de mercado".

Achei engraçado. O presidente da agência estava esquecendo de que o comercial, por melhor que possa ter sido, era apenas um dos detalhes de todas as atividades da empresa que, *em conjunto*, deram ao produto a liderança de mercado. Antes de o comercial ir ao ar, o consumidor (no caso, consumidora) tinha sido pesquisado, para que o fabricante conhecesse quais características do produto deveriam ser buscadas pelo departamento de desenvolvimento: o produto deveria ter a qualidade esperada pelo consumidor. Depois disso, tinha de ter boa embalagem; então, o pessoal de vendas deveria ter feito uma boa distribuição. Além disso, o preço deveria estar dentro da expectativa do mercado. E mais, a empresa pagou um caminhão de dinheiro pela veiculação maciça do comercial. Mas o presidente da agência de propaganda, imagino que sinceramente, afirmou que tinha sido a propaganda que tinha conseguido, *sozinha*, levar o produto à liderança do mercado. Ou o distinto senhor era um ingênuo desinformado, ou era um tremendo parlapatão. Evidentemente, não escolhi essa agência para cuidar de meu produto.

Aliás, uma empresa somente deveria anunciar depois de ter acertado todos os aspectos internos.

Quantas vezes você já não foi mal atendido no banco e ficou resmungando: "em vez de gastar fortunas na televisão, este banco deveria investir um pouquinho de verba no atendimento!"

O *atendimento ao cliente* é crucial para prestadores de serviços. É a chave de todo o seu negócio. Citei o banco. Podemos também falar de hospitais, por exemplo. O parente do paciente chega à recepção e tem a certeza de que seu problema é o maior do mundo. Quer atenção, solidariedade, explicações, rapidez no atendimento, gentileza. Se o hospital possui um centro cirúrgico magnífico, ou se conta com equipamento de última geração, isso não quer dizer quase nada ao paciente. Ele avalia a qualidade do hospital pela maneira pela qual foi atendido na recepção.

No entanto, os médicos e diretores de hospitais quase nunca sabem disso. Acham que podem ter recepcionistas mal pagas e trabalhando de má vontade; insatisfeitas com a empresa e descarregando suas mágoas e frustrações sobre os parentes dos pacientes (que geralmente estão estressados, nervosos ou desequilibrados emocionalmente).

Para outros tipos de prestação de serviços, além do atendimento, os *prazos* de execução dos serviços são o ponto-chave do negócio. Atenção, leitor empresário, dono de uma empresa de prestação de serviços: qualidade no atendimento e cumprimento de prazos são suas ferramentas de marketing mais importantes. Só depois de estar 100% nesses pontos é que você poderá se atrever a fazer propaganda de sua empresa (se é que haverá necessidade disso).

Portanto, caro leitor empresário, você acaba de ver que há um enorme universo para sua empresa praticar o marketing, sem grandes investimentos. E, o mais importante, a partir da definição que adotamos, fica bem claro que *marketing não é o objetivo* da empresa. É apenas um *meio* para chegar aos verdadeiros objetivos que são *vender mais e com maior lucratividade.*

Além disso, você, melhor do que qualquer profissional contratado ou do que qualquer empresa de consultoria, é quem deve conhecer seu negócio, inclusive os pontos fortes e fracos, tanto seus como dos concorrentes.

A partir desse conhecimento, devem ser traçadas as prioridades de marketing, levando em consideração as disponibilidades financeiras para cada etapa, as pessoas envolvidas em cada ação, e a repercussão de cada uma das ações deflagradas, seja na correção dos pontos fracos ou no aproveitamento dos pontos fortes de sua empresa em relação à concorrência e ao mercado.

É essencial que pare por algumas horas para analisar fria e criticamente sua empresa, com a finalidade de descobrir quais são os pontos fortes e fracos que ela apresenta face à realidade do mercado. É a esse exercício que os especialistas chamam de *planejamento estratégico*, e que também integra o arsenal de marketing das empresas.

O planejamento estratégico designa o "Plano Mãe" de todos os planos da empresa. Todos os demais planos são, de certo modo, sub-planos que visam viabilizar o planejamento estratégico.

Portanto, é importantíssimo que qualquer empresa tenha seu plano estratégico. A existência dele evita que se possa cair na armadilha de obter planos conflitantes com os grandes objetivos da empresa.

Os pontos básicos de um plano estratégico devem responder às seguintes questões:
- Como estamos?
- Como é que chegamos até aqui?
- Onde queremos chegar?
- Como faremos e do que precisamos para chegar lá?
- Quando chegaremos lá?

É preciso uma análise profunda para saber exatamente qual é seu ramo de negócios, a fim de evitar o que Theodore Levitt chama de "miopia de marketing". Isto é, ter uma visão limitada da abrangência de seu negócio. O empresário que sofre de "miopia de marketing" é capaz de enxergar uma sujeira mínima em cima da mesa, mas não é capaz de ver a mesa toda. É aquele que fica caçando borboletas, e não vê o elefante que pode pisá-lo...

Suponhamos que você e os demais responsáveis pela empresa saibam exatamente qual é o seu ramo de negócio. (Veja o Capítulo 2, "Qual é o seu negócio?")

Depois de ter definido claramente qual a total amplitude dele, vamos repassar aqueles pontos básicos:

Onde estamos

Pergunte-se o seguinte:
- Qual é o total de vendas em reais?
- Quantas vendas totais em unidades?
- Qual é o total de despesas, de margem e de lucro?
- Quais são as despesas por tipo: matérias-primas, pessoal, vendas, propaganda, impostos, frete, descontos, juros, embalagens etc.?
- Quais são as receitas e despesas por item, região, linha de produtos, tipo de cliente?
- O que estamos produzindo?
- O que poderíamos produzir?
- Quais canais de distribuição estamos atendendo?
- Quais canais poderíamos atender? Por que não estamos atendendo?
- Qual é o número de concorrentes para cada item?
- Como cada item está se comportando perante o principal concorrente?
- Quais as características dos líderes de mercado?
- Qual a vantagem de cada item sobre os concorrentes?
- Como está nossa força de trabalho em termos de qualidade técnica, moral e envolvimento com os objetivos da empresa?
- O que cada equipamento pode produzir e o que está produzindo em termos de quantidade, qualidade e diversificação de itens?
- A atual estrutura administrativa suportaria qual aumento de carga de trabalho sem necessidade de investimento adicional?
- Qual a força de penetração no mercado de nossos vendedores, de nossas marcas, de nossa empresa?

Como é que chegamos até aqui?

Agora que estamos "conhecendo" a situação da empresa, vamos descobrir como é que ela chegou até esse ponto.

Pegue os registros e dados disponíveis, desde a fundação da empresa até os dias de hoje. Dados de vendas, custos, lucro, clientes, funcionários etc. Tente relacioná-los entre si. Por que a empresa andou bem em determinados momentos e mal em outros? Quando a empresa andou melhor, qual era a estrutura de produtos, clientes, vendedores, custos, administração, apoio logístico, preços de vendas, qualidade de produtos/serviços, condições de mercado etc. Analise, da mesma maneira, os momentos em que a empresa andou mal. Compare as duas análises. Descubra qual a diferença entre ir bem e ir mal. Se a sua conclusão é que trata-se de alguma "crise de mercado", procure outra causa. O país sempre esteve em crise de mercado, e sempre estará. Aposto que, mesmo nos momentos em que a empresa teve ótimo desempenho, o país também atravessava algum tipo de crise de mercado. Só que, daquela vez, você soube como driblá-la ou, até, como usá-la a seu favor, ao passo que, quando a empresa foi mal, também havia crise, mas você não soube como contorná-la.

É trabalhoso, não é? Mas não desista, porque você só vai ter que fazer esse tipo de levantamento uma vez. Daqui para frente, esses dados já estarão disponíveis e servirão de base para futuros planos. Como você só terá esse trabalhão uma vez, não há nenhuma razão para fazê-lo "mais ou menos". Seja exigente consigo próprio. Exija dados confiáveis e o mais próximos possível da realidade. O ideal seria buscar a maioria dos números na contabilidade. Infelizmente sabemos que os registros contábeis nem sempre refletem os números reais... Nesse caso só nos resta apelar para os registros "extra-oficiais", que se encontram nas cabeças dos funcionários mais antigos ou nas anotações das velhas agendas do seu principal homem de vendas ou de produção.

De posse dessas análises, vamos definir:

ONDE QUEREMOS CHEGAR?

É neste ponto que seu planejamento estratégico vai iniciar de verdade. Você começará a traçar os grandes *objetivos da empresa*:
- Para quanto deverá subir o lucro?
- Em quanto deverão cair as despesas?
- Quais novos clientes deverão ser atingidos?
- Em quais novas linhas de produtos/serviços deveremos entrar, para melhor aproveitamento de nossa abrangência de mercado?

Traçados os objetivos, e seguindo as diretrizes do plano, temos que definir as estratégias, ou seja, o apoio de que se necessita para que se possam atingir os objetivos.

Como faremos e do que precisamos para chegar lá?

Até agora houve um tipo de "trabalho braçal", isto é, levantamento de dados, conhecimento do mercado e da concorrência, leitura de análises de jornalistas etc. Agora, para estabelecer estratégias e táticas, haverá necessidade de um trabalho mais "cerebral", que demanda criatividade, "jogo de cintura" e conhecimento dos meandros do negócio. Da mesma forma que, para ir de sua casa ao local de trabalho, há mil possibilidades, também para ir do ponto em que se encontra a empresa ao objetivo que ela pretende atingir, também há alternativas. Você escolheu um trajeto, entre mil, de sua casa ao local de trabalho, porque esse trajeto apresentava vantagens em relação aos demais.

Exatamente esse exercício intelectual deverá ser feito na empresa ao escolher o melhor caminho para atingir os objetivos. Digamos que, para conseguir dez novos clientes, você possa:

- Visitar pessoalmente duzentos clientes potenciais, levando, para isso, cerca de duzentos dias úteis, ou um ano.
- Colocar um anúncio nas principais revistas especializadas, falando das vantagens de seus produtos/serviços, ao custo de "n" reais, e supondo que, desse modo, você consiga ter os dez novos clientes em um mês.
- Contratar dois vendedores da concorrência, que tragam consigo cinco clientes cada, ao custo de "m"% de comissão para cada um sobre as vendas a tais clientes.
- Estabelecer um prêmio especial a seus atuais vendedores, para cada cliente novo que eles consigam e estimar que, com esse expediente, em quatro meses os dez clientes novos estejam "no papo" a um custo de "p" reais.

Devem existir mais uma dezena de formas de conseguir os dez novos clientes, como havia dez maneiras diferentes para você chegar de sua casa ao local de trabalho. A relação de custo *versus* benefício de cada uma das alternativas é que será o fiel da balança nessa escolha. *Criatividade* para formular alternativas e *serenidade* para decidir qual delas é a melhor: essa é a tarefa cerebral exigida pela formulação de estratégias.

A criatividade é o fator primordial na formulação de estratégias. Quanto maior for a dose de criatividade, maior o número de alternativas para avaliar, em termos de custo/benefício/tempo.

Tendo sido eleitas todas as estratégias para atingir os objetivos, seu plano já pode começar a ser montado em cima de um calendário. É o famoso cronograma que, ao final, lhe dirá:

Quando chegaremos lá?

Para ajudá-lo na busca de estratégias, recomendo um esquema relativamente simples, do qual você deve lançar mão para encontrar o "caminho das pedras". Esse esquema, que em inglês se chama *análise SWOT* – são as iniciais em inglês de *Strenghts* (Pontos fortes), *Weaknesses* (Pontos fracos), *Opportunities* (Oportunidades), *Threats* (Ameaças) –, consiste em uma ferramenta utilizada para fazer análise de cenário. Para isso, você deve escrever dentro de quatro quadradinhos, na mesma folha de papel, o seguinte:

Pontos fortes	Pontos fracos
Oportunidades	Ameaças

PONTOS FORTES

Liste aqui todas as vantagens que sua empresa tem sobre os concorrentes. Vantagens de: equipamento, pessoal, força de marca, atividades de marketing, solidez financeira, tecnologia, cérebros, distribuição, garra do pessoal, de credibilidade junto aos clientes e consumidores, crédito bancário, influência no governo, ou de acesso a informações econômicas e mercadológicas etc. Enfim, todos os itens, quer tangíveis, quer intangíveis, que considera uma superioridade de sua empresa em relação à concorrência.

PONTOS FRACOS

Da mesma maneira, liste neste quadro as desvantagens que sua empresa leva em relação aos concorrentes atuais e potenciais. É evidente que um item listado no quadro anterior não pode fazer parte deste quadro.

AMEAÇAS

Neste quadro entram fatores de mercado, causados pelo Governo, pela legislação, pelos clientes, pelos fornecedores, pelos bancos, pela provável reação de concorrentes etc. Enfim, são obstáculos que existem e que costumam ou podem entravar – se não forem contornados – a aplicação de determinadas estratégias.

OPORTUNIDADES

Finalmente, neste quadro você irá relacionar as "brechas" que o mercado e os concorrentes lhe oferecem para ampliar suas vendas, aumentar seus lucros, aperfeiçoar produtos para atender melhor os desejos do consumidor, lançar novos produtos ou serviços etc. Mantenha o foco em aproveitar os pontos fortes e sanar os pontos fracos, a fim de criar as condições para atingir os objetivos.

Seria bom que estes quadros fossem preenchidos durante um bate-papo entre todos os responsáveis pelas diversas áreas da empresa. Aquilo que um viesse a esquecer, outro poderia se lembrar. Assim, seria menos provável que algum ponto importante pudesse ser esquecido.

Com esses quadros em mãos, mais facilmente surgirão as estratégias de aplicação mais eficazes e com maior possibilidade de êxito.

Ao terminar esse exercício, isto é, tendo objetivos, estratégias, recursos e cronograma, sua empresa já terá um plano estratégico.

Esse plano estratégico será a mola mestra que irá nortear todos os demais planos que vierem a ser elaborados daqui para frente. É o mesmo que acontece com a Constituição e as leis ordinárias. Antes da promulgação de qualquer lei, é preciso verificar se ela não contraria a Constituição. Aliás, o ideal é que as leis ajudem a implantação dos princípios da Constituição. Da mesma forma, na empresa, todos os planos devem ter como meta colaborar para a obtenção dos objetivos do plano estratégico.

De acordo com o crescimento previsto nele, você saberá previamente: quanto de espaço o escritório irá precisar a cada fase; qual verba deverá ser aplicada em novos equipamentos e quais serão eles; quantos e de quais especialidades serão os operários que estarão trabalhando na fábrica no mês de março do ano que vem; qual faturamento e qual lucro a empresa irá obter com as vendas para os clientes do Rio de Janeiro, no mês do Carnaval. Isso parece um sonho distante? Acredite, é muito melhor ter esse tipo de sonho do que os pesadelos que você vem tendo por estar trabalhando às escuras, sem um plano estratégico.

Uma última observação, que ouvi certa vez de um amigo, Virgílio de Sousa Andrade (ex-Cica, ex-Arisco): De vez em quando você lerá, ou escutará alguém referir-se ao termo *jogada de marketing*, para tentar definir alguma farsa ou falcatrua para enganar o público. Ora, o marketing não tem "jogadas" e nem se presta a enganações. Talvez, quando se fala em marketing político, pode-se fazer uso espúrio para vender gato por lebre, para "dourar a pílula", ou para qualquer outro engodo. O marketing, de acordo com o que vimos até agora, é uma atividade séria e respeitável, que pode ser bem ou mal praticada, como qualquer outra atividade dentro da empresa. Mas, definitivamente, não comporta "jogadas".

CAPÍTULO 2 Qual é o seu negócio?

"Meu negócio é ganhar dinheiro."

Aposto como a grande maioria dos leitores acaba de dar essa resposta. Sabe o que acho dela? Penso que está errada. Para mim, o certo seria "Meu negócio é um *meio* de ganhar dinheiro", o que me levaria a perguntar de novo "Qual é o seu negócio?"

Parece brincadeira, mas é muito sério. Muitos empresários não têm muito claro em suas mentes em qual ramo de negócios estão metidos. O grande estudioso norte-americano Peter Drucker costuma dar algumas provas de que muitos empresários não sabem, exatamente, qual é a atividade de sua empresa.

O serviço de diligências que existia no Velho Oeste quebrou quando foi inaugurada a ferrovia. Por quê? Porque, na realidade, o dono das diligências não estava no "negócio de diligências", concorrendo contra outros donos de diligências. Na verdade, o ramo dele era muito mais abrangente. Ele estava no "negócio de transporte de pessoas e encomendas". Ora, quando o trem passou a fazer esse tipo de serviço de maneira mais rápida e confortável, não restou alternativa para os donos de diligências, senão fechar as portas.

Num primeiro momento, a chegada da televisão praticamente destruiu Hollywood e a indústria do cinema. Sabe por quê? Porque a Metro, a Universal, a Columbia etc. pensavam estar num negócio chamado "cinema" quando, na realidade, estavam num negócio chamado "entretenimento". Ao aparecer outro entretenimento chamado televisão, que apresentava uma série de vantagens sobre o cinema, os estúdios ficaram apavorados. Rapidamente perceberam o erro estratégico e se reposicionaram para voltar a produzir e ganhar dinheiro. A Warner, por exemplo, passou a produzir desenhos animados para a televisão. Outros estúdios criaram seriados com formato especial para a TV. Assim, aquela que aparecera como uma grande e temível inimiga passou a ser fonte de renda para os estúdios.

Então, quando perguntei "Qual é o seu negócio?" eu não estava brincando. Grandes empresas já viram seu mundo ruir por não terem definido claramente em qual negócio estavam batalhando. Além dos exemplos de Peter Drucker, vamos fazer alguns exercícios:

- Suponhamos que você tenha uma fábrica de latas para envasar óleo de soja. Se pensar que seus concorrentes são apenas os outros fabricantes de latas, você está sendo muito míope. Além deles, você precisa estar atento aos fabricantes de frascos plásticos, aos fabricantes de vidros e de caixinhas longa-vida. Todos esses podem vir a ser seus concorrentes e fazer um estrago em seu faturamento. Neste caso, seu negócio não se chama "fabricação de latas". Seu verdadeiro negócio é a "fabricação de embalagens para conter óleo de soja". Há de se ter uma visão muito mais ampla para a área de abrangência de seus produtos/serviços e marcas. Só assim você não se deixará surpreender por concorrentes inesperados e não perderá boas oportunidades.

Quer outro exemplo, desta vez de bom aproveitamento do potencial de marca?
- As grandes grifes que apenas faziam roupas (Chanel, Boss, Yves Saint-Laurent, Calvin Klein etc.) descobriram que não estavam num mercado chamado "roupas finas". Descobriram que participavam de um negócio muitíssimo mais abrangente, chamado "moda sofisticada". Sem pestanejar, aproveitaram-se dessa descoberta e suas marcas foram estendidas a perfumes, joias, acessórios etc. e, fique com inveja, não investiram um centavo para produzir essas extensões de linha. Suas marcas foram alugadas ou arrendadas a terceiros, que fizeram todo o investimento necessário para produzir e distribuir os novos itens, evidentemente sob a supervisão de qualidade dos detentores da marca.

Mais um exemplo? Este é negativo.
- No início da década de 1960, a Toddy do Brasil (que na ocasião pertencia a uma família venezuelana) pensava, como vocês que responderam errado, que estava no negócio de ganhar dinheiro. Descobriu dois produtos que rendiam muito lucro nos países em que haviam sido lançados. Uma esponja de aço, que já vinha com sabão, e um líquido para dar brilho instantâneo em sapatos e objetos de couro. Resolveu investir pesadíssimo no lançamento desses produtos aqui no Brasil. Construiu fábrica, importou o equipamento, pagou pela tecnologia de fabricação, despejou um caminhão de dinheiro em publicidade. O fracasso foi tão retumbante que a empresa precisou pedir concordata. Saiu correndo daqueles mercados e retornou ao seu verdadeiro negócio, que era "alimentação infanto-

juvenil". Voltou a ganhar dinheiro para pagar os rombos causados pela aventura de avaliar errado qual era seu ramo de negócios.

Veja, amigo, a importância de meditar profundamente para definir com clareza, dentro de sua mente, qual é o seu negócio.

Novamente, esse exercício é fundamental para o sucesso ou fracasso de qualquer decisão que venha a tomar hoje em dia quanto aos rumos de sua empresa. A inflação mais baixa já não cobre todos os deslizes. É preciso errar o mínimo possível.

Faça o seguinte: reúna os parentes (deixe de lado os invejosos e os tolos) e amigos (mesma observação). Leia para eles os exemplos deste capítulo e, entre um chope e um salgadinho, discutam profundamente, até que esteja convencido e completamente convicto de qual é o seu negócio, qual sua abrangência e quais são os atuais e potenciais problemas e oportunidades que essa definição trouxe à sua empresa. Não se deixe influenciar por sonhos que levam a aventuras comerciais. Realismo e frieza são duas características que conduzem o empresário ao sucesso. A ousadia tem que existir, é claro. Sem ela, o mundo ainda estaria na Idade da Pedra. Mas ousadia não é sinônimo de insensatez. Se você não fosse uma pessoa ousada, não teria montado uma empresa. Mas se não tiver sensatez, poderá ter de fechar as portas que abrigam grande parte de seus sonhos e pretensões.

Dê uma pausa e continue a leitura só depois de ter definido, claramente, qual é o seu negócio.

CAPÍTULO 3 Quem é o seu consumidor?

Muito bem. Você voltou a ler o livro. É sinal de que, nestes últimos dias, esteve meditando e, afinal, descobriu qual é o seu negócio.

Como você está há dias sem ler, vamos recapitular.

O marketing é uma ferramenta que você já vem usando, e agora vai utilizar com mais habilidade, para que sua empresa passe a vender mais e com mais lucro.

Neste capítulo, vamos passar para o segundo passo quando o assunto é marketing: descobrir *quem é seu consumidor*.

Lembre-se de que o primeiro passo você já deu, ao definir em qual negócio está metido. Portanto, já são conhecidos os limites do reino. Falta conhecermos o *rei*, que vulgarmente é chamado de *consumidor*, *cliente*, ou *freguês*, como se dizia antigamente.

Parece fácil identificar essa entidade abstrata que é o consumidor, mas é uma das tarefas mais complicadas entre tantas que um empresário tem de enfrentar.

Vamos ver alguns exemplos ilustrativos.

- O fabricante de Danoninho descobriu que tem de vender o produto, simultaneante, a pelo menos quatro consumidores diferentes. O primeiro é a criança. Seu interesse é saborear uma guloseima deliciosa. A criança não tem o mínimo interesse em saber se o produto é saudável, se tem proteínas etc. O segundo é a mãe da criança, cujo interesse é fazer que seu filho tenha uma alimentação sadia, que o deixe forte e saudável. Se possível, a mãe gostaria que o produto fosse saboroso, a fim de não enfrentar mais uma batalha, para que seu filho se alimente bem. O terceiro consumidor é o supermercadista, que está vivamente interessado em que seu estoque gire rápido e traga logo os lucros de que ele precisa para manter seu estabelecimento saudável. Também não está interessado se o produto faz bem para a saúde e coisas desse tipo. O que lhe interessa é volume de vendas e lucratividade. O quarto consumidor é o próprio vendedor da Danone que, para ser bem sucedido, precisa ter orgulho de oferecer produtos nos quais ele acredite que são de alta competitividade e lhe ajudem a cobrir as quotas de vendas no fim do mês. É outro que não está nem um pouco preocupado com a composição nutricional do produto.

Qual deles é o mais importante? Seria o mesmo que perguntar qual é a perna mais importante de uma cadeira. Qualquer uma delas que se quebrar, fará com que a cadeira não se sustente de maneira estável. Se algum desses quatro consumidores tivesse sido esquecido pela Danone, teria sido rompida a corrente que levou o produto a ter o sucesso do qual ele desfruta.

E o consumidor de um remédio, quem será? O médico, que o prescreve? O doente, que o usa? O farmacêutico, que o vende?

E o consumidor de uma tinta para pintar paredes? Será o proprietário do imóvel a ser pintado? O pintor? O dono da loja de tintas? O balconista da loja de tintas?

E o consumidor de um serviço de mão-de-obra de manutenção de prédios? O empreiteiro, o síndico do prédio, os condôminos, ou todos eles juntos?

Cada um desses consumidores de um mesmo produto tem interesses diferentes, às vezes conflitantes, que precisam ser atendidos pelo produto ou serviço. Nossa arte será descobrir quem são esses consumidores todos e conseguir uma maneira de satisfazê-los, da melhor forma possível, com as características de nosso produto/serviço.

Repare quantos alvos tem de atingir para vender seu produto ou serviço. Há os consumidores finais, há os consumidores intermediários, há os consumidores distribuidores. Todos eles precisam ser devidamente sensibilizados e atendidos em suas necessidades.

Viu como sua tarefa não é fácil? Descobrir toda a cadeia de consumidores de seu produto ou serviço; descobrir quais as necessidades de cada um; oferecer produtos/serviços que satisfaçam a essas necessidades *com vantagem sobre os concorrentes*.

Depois dessa difícil tarefa, você vai chegar à conclusão de que alguns desses consumidores já se utilizam de seu produto/serviço, mas outros, que poderiam utilizá-lo, ainda não o fazem.

Os primeiros são chamados de consumidores reais. Os outros, de *consumidores potenciais*.

Para aumentar suas vendas, é preciso fazer com que os primeiros passem a comprar mais, ou com que os segundos passem a comprar ou, de preferência, as duas coisas.

Digamos que você já sabe que os atuais consumidores não têm condições de comprar volumes maiores. Resta-lhe, então, atacar os consumidores potenciais. Neste caso, é preciso descobrir algumas informações importantes. Por exemplo: Estão comprando de algum concorrente? Por quê? Será que não estão consumindo este tipo de produto/serviço? Por quê?

Qualquer grande empresa, por meio de um instituto de pesquisa de mercado e, após poucas semanas e muitos dólares, teria as respostas a essas perguntas. Mas nós somos Micro ou Pequenos empresários e não temos os dólares necessários para contratar um instituto. Portanto, vamos ter que nos valer do famoso *feeling* que, trocado em miúdos, significa faro profissional.

Na impossibilidade de poder oferecer-lhe os dólares necessários à pesquisa, posso presenteá-lo com umas "pitadas" de técnica, que darão um cunho menos amador a essa busca do *perfil do consumidor*.

Tente classificar seus consumidores potenciais em três grupos básicos de características:

1. Características demográficas

Idade, sexo, estado civil, classe socioeconômica, religião, cor da pele, grau de instrução, local onde mora, local de nascimento; se é gordo, magro, careca ou cabeludo; e todos os demais dados pertinentes ao seu tipo de negócio e que possam ajudar a definir o *retrato-falado* de seu consumidor potencial. Evidentemente, para cada tipo de produto ou serviço, apenas algumas dessas características demográficas são interessantes. Por exemplo, para vender sal de cozinha, não importa se o consumidor é negro ou caucasiano, se mora na praia ou no planalto etc. Mas, para vender cremes para a pele, essas informações são fundamentais.

2. Características psicológicas

Inibido ou extrovertido, submisso ou dominador, alegre ou tristonho, indeciso ou decidido, agressivo ou cordial, vaidoso ou desleixado, escravo da moda ou não, exibicionista ou reservado, e todas as demais características, também relevantes ao seu negócio. Lembre-se de que o consumidor age, na grande maioria das vezes, emocionalmente. A imagem que irá agregar a seu produto poderá ser aceita por um grupo de consumidores com determinadas características psicológicas, e poderá ser rejeitada por outros grupos. Por exemplo, as grifes de luxo investem para que seus consumidores vejam o alto custo e o extremo bom-gosto de seus produtos, dedicados a pessoas com determinadas características de exibicionismo e ostentação de poder econômico. Porém, pessoas com outras características de educação e refinamento, mas com alto poder econômico, optam por ostentar produtos considerados 'bregas' para exibir seu poder financeiro.

3. Características de hábitos de consumo

Onde compra, quando compra, onde consome, quando consome, com quem consome, com qual frequência compra/consome, como decide entre os vários concorrentes, se está atrás de preço, qualidade, status, modismo etc.

Agora já temos bem claro qual o perfil do consumidor que pretendemos atingir. Você acabou de definir aquilo que os especialistas costumam chamar de *target group* ou, de um jeito mais brasileiro, de *público-alvo*.

Lembre-se de que a melhor forma de economizar dinheiro é gastando bem. Sem saber direito quem faz parte de seu público-alvo, você corre o risco de gastar munição à toa, atirando seus reais a esmo, na esperança de acertar algum tiro por acaso.

Ao definir claramente quem deve ser atacado e quais são suas aspirações, fica mais fácil e mais barato fazer e direcionar sua comunicação.

E comunicar seu produto/serviço não quer dizer, necessariamente, que deva anunciar na *Veja* ou na Globo. A comunicação começa pelo nome escolhido, pelas cores de seu estabelecimento, pelo tipo de letra usado no rótulo de seus produtos ou na tabuleta da loja, e assim por diante.

E tudo isso, além de algumas coisinhas que veremos na sequência deste livro, deve sempre ser feito e escolhido levando em conta o perfil de seu consumidor, mesmo que as escolhas não estejam de acordo com o gosto pessoal do empresário.

Imagine que tem 60 anos de idade e resolva instalar uma loja de pranchas de surfe. Imagine que essa loja venha a ser decorada com seus gostos pessoais. Só com muita sorte, algum garotão de praia vai a ter a coragem de entrar nessa loja com "cara de coroa".

Mas se, antes de montar a loja, você teve o cuidado de fazer o perfil de seu futuro consumidor, possivelmente a decoração não será de seu gosto, mas, em compensação, irá encher os olhos da rapaziada que compra pranchas de surfe.

CAPÍTULO 4 A escolha do nome

Normalmente, o Pequeno e Micro empresário costuma fazer listas com dezenas de nomes para a nova empresa/serviço/produto. A família e os amigos colaboram nas sugestões e na escolha. Tem até casos em que é feita uma votação. Finalmente, após dias de discussão, papo e palpites, o nome vencedor é escolhido.

Na maior parte das vezes, o nome escolhido não pode ser usado porque alguém já registrou um nome igual ou muito parecido. Aí, o empresário fica louco da vida e, em dois minutos, ele e seu contador acabam por escolher outro nome passível de registro e que, invariavelmente, nada tem a ver com aquele que tinha sido anteriormente escolhido ao cabo de tantos estudos. Você já viu esse filme?

Quer ouvir uma grande verdade, mas que poderá soar como blasfêmia nos ouvidos de muita gente boa? Cá entre nós (para que ninguém nos ouça, vou falar bem baixinho): o nome não tem grande importância. Desde que não seja um nome ridículo, que não seja de mau gosto, pretensioso, qualquer nome serve. Evite nomes que sejam ou preconceituosos, metidos a engraçadinhos ou excessivamente "criativos". Preste atenção, pois o *nome pode mais atrapalhar do que ajudar.*

Vamos mostrar como funciona. Eis alguns exemplos de produtos líderes de mercado:

OMO. O que quer dizer isso? Antes do lançamento do produto, qualquer Micro empresário que fosse lançar um detergente em pó, faria uma lista com cem nomes e, aposto, esse nome não entraria. No entanto, a gigante multinacional Unilever lançou um detergente em pó com esse nome, que não queria dizer nada e apesar, ou por causa, disso, lidera o mercado desde o lançamento.

Você lançaria uma massa de tomates com o nome de Elefante? Por certo que não. Afinal, o que é que elefante tem a ver com tomates? Você, sua família e palpiteiros fariam uma lista imensa com nomes como Tomatex, Tomatito ou outras preciosidades. No entanto Elefante, um nome tirado ninguém sabe de que lugar, batiza a massa de tomates que é líder de mercado há mais de 70 anos.

Aí você começa a pensar porque esses nomes deram tão certo. Vai ler à beça e, com toda a certeza, irá encontrar em algum guru do marketing a explicação de que esses nomes deram certo porque são curtos e fáceis de memorizar. Ah! é? Então peça a seu guru do marketing para explicar o sucesso de produtos com nomes como Black & Decker. Será, por acaso, um nome fácil de pronunciar e de memorizar? E Marlboro? E Prosdóscimo? E Schincariol? E Corinthians?

Portanto, amigo Pequeno ou Micro empresário, não perca tempo atrás de nomes que possam resolver sozinhos seus futuros problemas de vendas. Apenas tente evitar nomes que pretendam definir seu produto ou negócio. Além de denotar falta de imaginação, esses nomes poderão ficar deslocados quando resolver ampliar sua linha de produtos/serviços. Por exemplo, uma escola de idiomas chamada English Center dá aulas de francês, espanhol, japonês e alemão. Além, é claro, do inglês, que deu nome à escola. Provavelmente, ao criar a escola, o empresário pensava que estava no negócio de ensino de inglês ("Qual é o seu negócio?", lembra?), por isso deu esse nome à escola, quando, na verdade, estava entrando no negócio de ensino de idiomas. Pense nisso, então, ao escolher o nome, para não criar uma camisa de força que poderá soar estranha em futuras expansões do negócio.

Nomes como Casa das Calcinhas (que não vende unicamente calcinhas), Cajuba (que faz suco de várias frutas), ou Casa da Esfiha (que hoje também vende pastéis) têm de ser evitados ao máximo. Nomes de empresas baseados no nome da rua onde ela está localizada (por exemplo: Oficina Mecânica Praça Tiradentes) também serão empecilhos em caso de mudança de endereço.

Vamos repetir: escolha um nome qualquer, mas evite tentar definir seu negócio/produto/serviço/localização por meio dele. Tenha em mente seu público-alvo, se ele é sofisticado ou simplório, adulto ou juvenil, interiorano ou urbano, masculino, feminino ou gay. Tenha em mente a imagem que quer transmitir a esse público: imagem de alegria, força, seriedade, velocidade, religiosidade, ou outra qualquer. É por aí que sairá um nome que inicie o processo de comunicação com seu público-alvo.

CRITÉRIOS PARA A ESCOLHA DO NOME

A maioria das agências de propaganda que ajudam a encontrar nomes de produtos/serviços/empresas usa as diretrizes da Universidade de Pittsburgh (Graduate School of Business) para a escolha de nomes, as quais seguem seguintes critérios:

1) Brevidade: O nome deve ser curto e conter o menor número possível de letras, como, por exemplo, Omo, Coca, Pop.

2) **Legibilidade:** O nome deve ser de fácil leitura e de fácil pronúncia, evitando-se palavras estrangeiras que exijam o conhecimento do idioma para serem lidas ou pronunciadas.

3) **Fácil de memorizar:** O nome deve ser facilmente reconhecido, lembrado e gravado na memória.

> **Observação:** Essas três primeiras recomendações dos norte-americanos são, exatamente, aquelas teorias de que lhes falei que não concordo. Da quarta em diante, que veremos a seguir, a teoria já faz mais sentido.
> O que precisa ficar claro é que marketing não é Matemática, não é ciência exata. Não é porque algum grande teórico afirmou alguma coisa, que você precisa abdicar de suas ideias próprias. Em Matemática, dois mais dois eram quatro no tempo da construção das pirâmides do Egito; são quatro hoje; e serão quatro daqui a mil anos. Já em marketing, nenhuma afirmação é tão absoluta. Você pode discordar de minha opinião e estar certo, ao mesmo tempo em que eu também estou. Afinal, em marketing, dois mais dois podem ser três ou, talvez, cinco...
> Em resumo, não é porque não concordo com os teóricos da Universidade de Pittsburgh, que você também tenha de discordar deles.

4) **Adaptabilidade:** O nome deve adaptar-se a qualquer tipo de comunicação, seja escrita, ou falada, seja em preto e branco, ou seja em cores.

5) **Propriedade:** O nome deve ser apropriado à empresa e produto/serviço. Por exemplo, Você pode usar o nome "Ursinho Peludo" para um jardim de infância, mas não para uma faculdade. Esse mesmo nome pode ser usado numa confecção infantil, mas nunca servirá para uma grife para adultos.

6) **Conotações:** O nome deve evitar conotações que possam vir a prejudicar a aceitação do produto em determinadas comunidades ou entre certos grupos sociais. Em São Paulo, por exemplo, não há nenhuma restrição popular a empresas como Casas Pernambucanas ou Casas

Bahia. No entanto, se houvesse uma rede de lojas denominada Casas Paulistas, ela poderia sofrer grandes restrições por parte do público, caso quisesse abrir filiais em outros Estados do país. Se sua loja chamar Loja Nossa Senhora Aparecida, certamente você não poderá contar com consumidores de certas religiões.

7) Imagem: O nome deveria ser tal, que permitisse uma complementação por meio de símbolos ou desenhos. Shell, por exemplo, significa "concha" em inglês. E esse é o símbolo que, em várias oportunidades, é reconhecido, mesmo que o nome da empresa não esteja escrito por perto. Outro exemplo são os pinguins da Antarctica e uma série infindável de símbolos gerados pelo próprio nome.

8) Exportável: O mundo está se intercomunicando em uma velocidade incrível e, embora você tenha uma Micro ou Pequena empresa, nada impede que amanhã esteja exportando. O Mercosul é uma realidade. Além disso, seu site na Internet pode colocar sua empresa numa vitrine para o mundo. Por isso, ao escolher o nome, lembre-se de que alguns são difíceis de ser pronunciados por estrangeiros, e que algumas expressões e palavras de nosso vocabulário, ou de nossa gíria, soam como palavras obscenas em outro idioma. A Xuxa, dizem, tem problemas com seu apelido em vários países latino-americanos. Além de impronunciável, parece que tem sentido obsceno quando a pronúncia é adaptada à língua espanhola.

CAMINHOS QUE AJUDAM NA PROCURA DO NOME

A mesma Universidade que nos deu os conselhos acima tem uma listinha de caminhos que podem ajudar na formulação e escolha de um nome. Como o Brasil tem pouco a ver com os Estados Unidos, os comentários e exemplos, evidentemente, estão adaptados à nossa realidade e podem ajudar a dar limites à criatividade das pessoas que darão palpites para aquela lista de nomes de que falamos logo no início deste capítulo.

Veja quais são os caminhos:

1. Combinar nomes comuns, relacionados com o benefício do produto ou do serviço. Exemplo: Cabelos & Pontas, Corpo a Corpo.

2. Usar nomes sob licença, com a desvantagem de ter que pagar direitos, e de ter que se submeter a uma série de auditorias e normas por parte de quem está cedendo a autorização de uso do nome, mas com a vantagem de que o nome já tem divulgação. São nomes como Mickey Mouse, Superman, Mônica, e outros semelhantes. Evidentemente, o uso desses nomes depende de uma licença especial e de um rígido contrato com a empresa detentora dos direitos do nome. Pode ser caro e embaraçoso. Trata-se de uma decisão a ser tomada depois de um cuidadoso estudo de custo-benefício.

3. Usar um nome onomatopaico, isto é, que reproduza algum som ou ruído emitido ou ligado ao uso do produto. Exemplo: Kodak, Splash.

4. Utilizar números: Colônia 4711, Confecção BR 101, Confecção Bordeaux 22.

5. Usar o nome da empresa como marca de produto: Maionese Arisco, Sabonete Palmolive, Ford Escort.

6. Usar as iniciais do nome da empresa para designar seus produtos: IBM, RCA, FIAT.

7. Usar uma contração das sílabas do nome da empresa: Bradesco, Banespa, Sanbra.

8. Usar nomes históricos, mitológicos e assemelhados: Atlas, Júpiter, Tiradentes, Aquarius, Thor, Orion.

9. Usar nomes de personalidades ligadas à atividade principal da empresa, como, por exemplo, Mark Twain, para uma escola de inglês americano; Madame Curie, para um laboratório de pesquisas físico-químicas; ou Santos Dumont, para uma empresa ligada à aeronáutica; e assim por diante.

Embora esse assunto seja inesgotável, acho que, com essas dicas, você, seus amigos e parentes já podem tomar uma decisão com mais segurança de que o nome selecionado não representará problemas atuais e futuros para a empresa ou serviço que estiver sendo batizado.

De qualquer forma, tenha sempre em mente que *é o produto que faz o nome e não o nome que faz o produto.*

CAPÍTULO 5 O logotipo

Sabendo qual é o seu público-alvo e tendo escolhido o nome que será dado à empresa/produto/serviço, a próxima etapa é escolher o logotipo. Ou seja, o símbolo, o distintivo, o sinal gráfico por meio do qual o nome passará a ser comunicado e reconhecido pelo público.

Trata-se de um poderosíssimo instrumento de marketing e que deve ser criado e usado de acordo com as melhores técnicas existentes.

Não há necessidade de nos alongarmos em enfatizar a importância do logo (como dizem os especialistas e como passaremos a chamá-lo, de agora em diante, afinal estamos ficando especialistas também). Os símbolos da Coca-Cola, da Shell, do McDonald's, das Casas Bahia estão aí com maior eloquência do que qualquer argumentação.

Vejam os logos da Ford, Coca-Cola, General Electric, e tantos outros que atravessam gerações sem serem modificados. Aliás, a Estrela de David, com seis pontas, símbolo da união das doze tribos de Israel, é o logotipo mais antigo que se conhece. Há mais de três mil anos, desde que foi criado pelo rei David, este é o logotipo dos judeus e, até hoje, nenhum rabino ousou mudar para uma estrela de cinco ou de sete pontas. De jeito nenhum! Logotipo é sagrado!

Por isso, de saída, minha opinião é que o logo não deve ser modificado. Seria o mesmo que fazer uma mutilação na história da marca e da empresa; confessar que o que estava sendo feito saiu de moda ou ficou meio feio... Seria jogar fora todo o investimento (às vezes, de anos ou décadas) que já foi feito na divulgação da marca, nos materiais impressos, material de propaganda e promoção etc.

Já aqui no Brasil, uma das primeiras ações de um novo gerente de marketing é providenciar a mudança de embalagens e, de roldão, a mudança do logotipo. Entre outras coisas, essa mudança lhe garante uns dois ou três anos de emprego:

- Estudos sobre qual agência se encarregará da mudança (6 meses).
- Confecção e discussão do *briefing* para mudança (3 meses).
- Apresentação dos primeiros esboços por parte da agência (3 meses).
- Discussões de grupo e pesquisas de mercado sobre as sugestões apresentadas pela agência (6 meses).
- Correções das sugestões aprovadas nas pesquisas e novas pesquisas sobre as correções (6 meses).
- Início da mudança, com perda de todo o material existente (impressos, rótulos em estoque, logos em veículos e em material de promoção

e propaganda) e despesas com comunicação, justificando a mudança para os comerciantes e consumidores (6 meses).

Depois de tudo lançado, espera-se um ano para ver os resultados nas vendas. Se as vendas aumentaram, a glória é de quem resolveu trocar o logotipo. Se as vendas caíram, os culpados são os de sempre: a crise, a concorrência está louca, a incompetência dos vendedores etc. De qualquer forma, o gerente garantiu três anos de emprego e, se tiver bons argumentos, ainda dá para esticar a permanência por mais um ou dois anos, reformulando escritórios de vendas, reajustando o zoneamento, fazendo reciclagem dos vendedores etc. Em suma, gastando mais dinheiro do patrão, para equilibrar-se no cargo. Se, algum dia, sua empresa tiver necessidade de contratar um gerente de marketing, e se este lhe apresentar imediatamente um projeto de mudança de logotipo, demita-o no ato. Caso contrário, terá de demiti-lo daqui a uns três anos, depois de ele ter "torrado" muito dinheiro. Sai mais barato, e é mais eficiente, demiti-lo imediatamente e contratar um substituto mais "pé no chão", disposto a adotar ações de resultados palpáveis e imediatos sobre volume/qualidade de vendas e lucratividade.

Duvido que encontre esse conselho em qualquer outro livro do mundo. Mas estou falando com os Micros e Pequenos empresários, responsáveis por mais da metade da economia brasileira, e acho que tenho a obrigação de lhes transmitir minha experiência, com a maior franqueza e sem rodeios.

Portanto, mudar logotipo é um grande negócio... para novos gerentes de marketing, pelo menos. Já para a empresa, envolve uma despesa enorme, um procedimento que se arrasta por alguns anos, deixando a marca ou o produto sem uma provável revitalização ou, até, em declínio.

Como sempre, na hora de ter que desenvolver o logo de sua empresa/marca/serviço, o melhor é procurar um especialista no assunto, um profissional maduro da área de criação. Como eu disse, *maduro*, isto é, evite meninos e meninas "brilhantes", recém saídos das escolas de comunicação, que fazem um trabalho baratinho e "criativo". No entanto, como estamos falando entre nós, Pequenos e Micros empresários, sem muitos dólares para investir, caso venha a se utilizar dos serviços de um principiante (por ser mais econômico), diga-lhe claramente e sem a menor margem de dúvida, exatamente o que quer:

1. A leitura do logotipo tem que ser facilitada. Nada de desenhos cheios de lacinhos e rococós, que obriguem as pessoas a ter de adivinhar o que é que está escrito por detrás daqueles traços misteriosos.

2. Segundo, as letras devem evitar modismos gráficos, para que o logotipo não corra o risco de ficar igual, ou muito semelhante, a milhares de outros criados nessa mesma semana, em todo o país. Além disso, o que está na moda naquele momento, estará fora de moda daqui a alguns anos, ou até meses.

3. Lembre ao profissional responsável pela criação que o logotipo vai ser utilizado em diversos tamanhos. No cartão de visitas deverá ser lido e entendido com a mesma facilidade do que na chaminé da fábrica ou na tabuleta da porta da loja.

4. Não deixe, de jeito nenhum, que o profissional de criação sugira um logo com três ou quatro cores. Isso encarecerá absurdamente qualquer impresso e, no final das contas, a fim de evitar gastos enormes, você começará a não aplicá-lo nos impressos, o que prejudicará a divulgação da marca. Portanto, logotipo, no máximo, com duas cores, e uma delas deverá servir para o restante do texto dos impressos. Pense nos exemplos que deram certo: Coca-Cola, McDonald's, Casas Bahia, Bradesco e outros logos conhecidos têm, no máximo, duas cores.

Decore esses conselhos e não abra mão de nenhum desses princípios na hora de encomendar o serviço ao profissional de criação, caso contrário, antes do que espera, você se arrependerá de ter aceito um logo que vai lhe causar mais problemas do que satisfações.

Não tenha medo de ser chato e de "limitar a criatividade" do artista. Se, de fato, ele for bom de criação, saberá como desenvolver um belo e representativo logo, dentro dos critérios que você lhe exigir. Aliás, minha definição de criatividade é a seguinte: *Criatividade é a capacidade de resolver problemas usando os recursos disponíveis, dentro das limitações do momento.*

Em outras palavras, criativo é o profissional capaz de gerar um belo logotipo, gastando pouco, usando uma ou duas cores, dentro do prazo estabelecido.

Portanto, não existe essa desculpa de "minha criatividade foi limitada". Não tenha receio de exigir, claramente, o que deseja. Isso também vale para a publicidade e outras áreas do marketing, nas quais o pessoal de "criação" considera-se artista, não comerciante.

Capítulo 6 As cores

Outra poderosa arma da comunicação é o bom uso das cores.

Todos nós conhecemos aquelas teorias de cores quentes, neutras e frias. A aplicação dessas teorias é que precisa ser feita com o maior cuidado e, de preferência, por um especialista.

Novamente vamos chorar que não temos dinheiro para pagar especialistas. Novamente vamos ter de apelar para o "faro" do empresário. Baseado em seu bom gosto e no conhecimento que ele tem das preferências do público-alvo é que serão decididas as cores de paredes, embalagens, logotipo etc.

No que se refere às cores, o melhor conselho é não inventar moda. Erra-se menos quando se usam cores clássicas. Usar cores da moda é um risco. Por exemplo, hoje em dia é moda pintar lojas e demais estabelecimentos comerciais de lilás. Pode contar aí na sua cidade ou no seu bairro: de cada dez novas casas comerciais que se abrem, pelo menos seis delas estão pintadas de lilás. Nada contra esta cor, mas há de se considerar o bom senso. Veja, aqui perto de casa abriu um buffet para festas infantis. Como o lilás é a cor da moda (pode ser que, quando estiver lendo este livro, a cor da moda já seja outra), as donas do buffet não tiveram a menor dúvida de fazer a decoração do estabelecimento em lilás e azul marinho. O resultado está desastroso. Conseguiram fazer um buffet infantil com cara de agência funerária. Não aposto no sucesso do negócio, por melhores que sejam os docinhos e por mais divertido que possa ser o palhaço que irá animar as festinhas.

Portanto, escolhido o nome e definido o logotipo, se não houver caixa para contratar um decorador, vá usando cores clássicas.

Daqui a alguns anos, quando sua empresa estiver cheia de dinheiro, contrate um especialista que irá desenvolver a identidade visual para seus impressos, embalagens, ambientes, loja etc.

Nesse meio tempo, não invente e nem embarque na canoa furada de modismos.

Para não ficar teorizando com aquelas tabelas de cores quentes e frias, além de uma série de considerações que o leitor já deve saber melhor do que eu, contento-me em dar três exemplos da influência da cor sobre a percepção dos consumidores. Ora, os clientes não leram nenhum tratado sobre a psicologia das cores e, na verdade, eles foram os sujeitos das pesquisas que embasaram tais tratados. Os três singelos exemplos, a seguir, são tirados de minha experiência pessoal, sem teorias e sem análises psicológicas. São fatos ilustrativos para sublinhar a importância fundamental da cor sobre os produtos de consumo.

1ª HISTÓRIA

Todo mundo conhece o sabor de limão, certo? Era nisso que eu também acreditava, quando pensei em criar uma gelatina sabor limão. Eu trabalhava na Kibon que, naquela época, tinha uma linha de gelatinas com a marca Jell-O. As gelatinas que mais vendiam eram as de cor vermelha, nos sabores cereja, morango e framboesa. Muito jovem e muito cheio de ideias, resolvi que minha nova gelatina de limão deveria ter uma cor avermelhada, imitando a cor daquele limão chamado, em São Paulo, de limão siciliano. É um limão que parece uma tangerina, conhece? Pois bem, encomendei amostras ao departamento de desenvolvimento de produtos, com as seguintes características: o sabor deveria ser igual ao do picolé de limão. Era o segundo picolé em volume de vendas (o primeiro era de chocolate, o Chicabon) e o sabor era bastante apreciado pelos consumidores. A cor deveria ser bem avermelhada, a que era mais do agrado dos consumidores de gelatinas. Em poucos dias já tínhamos amostras para pesquisa de mercado. O departamento de pesquisas saiu a campo com as amostras e um questionário muito bem desenvolvido, para testar a aceitação do que seria uma extensão da linha de gelatinas. Depois de algumas semanas, chegaram os resultados das pesquisas. Não lembro exatamente as porcentagens, porque isso aconteceu há muito tempo, mas quando perguntados sobre qual era o sabor da gelatina, as proporções foram mais ou menos as seguintes: cerca de 20% dos consumidores testados disseram que a gelatina era sabor de morango, outros 20% disseram que era sabor de cereja, outros 20% disseram que era sabor de framboesa e os restantes 40% disseram "não sei". Nenhum único consumidor testado reconheceu o sabor de limão nas amostras. Eles, simplesmente, não podiam imaginar que, por trás da cor vermelha, havia uma fruta tradicionalmente esverdeada. A "grande" ideia de fazer gelatina com sabor de limão e cor vermelha foi arquivada.

2ª HISTÓRIA

A Heublein dominava amplamente o mercado de uísques nacionais, com cinco marcas: Old Eight, Drury's, Mansion House, Scats Bard e Branfor Black. Como esse mercado era muito interessante e constantemente havia movimentação dos concorrentes, lançando e promovendo novas marcas, a Heublein estava sempre pesquisando novas variedades, para manter-se na liderança do mercado e não ser surpreendida. Estávamos desenvolvendo um novo uísque, para termos alguma coisa caso um lançamento rápido fosse necessário. Como muitos dos leitores já sabem, a cor original do uísque, ao sair do alambique, é transparente, como vodka. A tonalidade do líquido é obtida por adição de caramelo e pelo envelhecimento em tonéis de madeira. Então, o laboratório de desenvolvimento produziu amostras do mesmo uísque, com colorações diferentes: um de coloração mais pálida, outro de coloração mais escura, acastanhada. O departamento de pesquisa de mercado saiu a campo para testar o sabor do produto entre bebedores de uísque. Ora, teoricamente, esses consumidores deveriam nos dizer se gostavam do sabor e qual a tonalidade preferida. Para surpresa geral, o uísque com tonalidade mais escura foi considerado pelo consumidor como mais encorpado, mais envelhecido, que continha mais malte e que era mais suave ao paladar. Mas, meu Deus, era o mesmo uísque, só com a cor diferente! Como é que o mais escuro tinha características gerais tão superiores? Os psicólogos de cores que respondam...

3ª HISTÓRIA

O mercado de talcos era enorme. Hoje em dia, quase ninguém usa talco, mas houve um tempo em que usá-lo era o complemento do banho. Tanto assim que, praticamente, cada marca de sabonete tinha uma marca de talco com o mesmo perfume e as mesmas características. Assim, o mercado tinha sabonete e talco Lux, sabonete e talco Palmolive, sabonete e talco Gessy, e assim por diante. O talco mais vendido no Brasil era produzido pela Colgate-Palmolive, numa linha de produtos de higiene pessoal chamada Cashmere Bouquet. Um belo dia, o gerente de linha de produtos Cashmere Bouquet estava pesquisando uma alteração na cor da embalagem da linha. Foram desenvolvidas embalagens predominantemente brancas e outras, predominantemente, cor-de-rosa. Talco do mesmo *batch* de produção foi colocado dentro de embalagens brancas e de embalagens rosas. Era o mesmo talco, certo? Não, pelo menos na opinião das consumidoras testadas. Elas acharam que o talco da embalagem branca era mais puro, tinha perfume mais delicado e era mais sofisticado que o da embalagem cor de rosa. Mais um tema para discussão dos psicólogos de cores.

Para fechar este parêntese sobre cores, ressalto, mais uma vez, que a escolha das cores nunca deverá ser feita com ideias preconcebidas, com chavões, e sem uma boa pesquisa: repare que os desinfetantes de banheiro, esses que são jogados dentro do vaso sanitário, na grande maioria, são azuis. Por quê? Eu direi que é por exclusão: o vermelho lembra sangue (vai parecer que alguém sangrou no vaso sanitário); o verde lembra água parada (vai parecer que há água cheia de limo no vaso); o amarelo lembra urina... A cor azul foi escolhida por eliminação das demais. Mas, pergunte a algum psicólogo das cores e a "justificativa" esnobe e cheia de chavões será, provavelmente: "é uma cor fria que nos remete à pureza, limpeza e contato com o céu ou o mar'". Desculpem a franqueza, é tudo frescura. O azul foi escolhido por exclusão. Portanto, meu caro Micro empresário, às vezes, o marketing, como dizia um amigo, é a arte de justificar. Primeiro toma a decisão que acha mais certa e depois do fato consumado, cria uma justificativa para o resultado de sua decisão. Se tudo deu certo, a explicação será psicológica: é mais chique e sofisticado dar explicações psicológicas. Se alguma coisa deu errado, a culpa será da crise, da economia do país, da equipe de vendas. Sempre haverá uma teoria que apoie sua justificativa, como essa, citada, da cor dos desinfetantes de vasos sanitários.

CAPÍTULO 7 Quem é seu concorrente?

No mesmíssimo instante em que você descobriu qual é o seu negócio, automaticamente ficou claro quais são seus competidores. Certo? Errado!

Digamos que você tenha uma fábrica de sapatos em Franca. Quem são seus concorrentes? Os outros fabricantes de sapatos de Franca? Os fabricantes de sapatos de Novo Hamburgo? Todos os fabricantes de sapatos do país? Os fabricantes de sapatos da Itália?

São todos eles e mais alguns. Você esqueceu dos fabricantes de tênis, pois quando o consumidor está usando tênis, não está gastando sapatos.

Se tiver uma pastelaria, seus concorrentes não são apenas os demais pasteleiros do bairro. São todos os que vendem coxinhas, empadinhas, pedaços de pizza, quibes, cachorros-quentes e outros alimentos para refeições rápidas. Quando o consumidor entra na lanchonete ao lado para comer um hambúrguer, ele estará deixando de comer um pastel na sua pastelaria.

Você já pensou quais são os concorrentes do uísque Old Eight? Não são apenas as demais marcas de uísque. São todas elas e mais as marcas de vodka, conhaque, pinga e de qualquer outra bebida alcoólica destilada. Isso, pela simples razão de que, enquanto o consumidor está bebendo qualquer uma delas, está deixando de beber Old Eight.

Se tiver uma loja de cristais, seus concorrentes são todas as lojas que vendem presentes para casamento, não apenas as demais lojas de cristais. Se tiver uma loja de tintas para pintar paredes, a loja que vende papel de parede também é sua concorrente; tanto quanto as demais lojas de tintas.

Percebeu como o conceito de concorrente é amplo?

> Considere seu concorrente não apenas os que oferecem produtos ou serviços idênticos aos que vende, mas todo aquele que possa impedir o consumidor de comprar o seu negócio.

A forma de lutar com os concorrentes pela preferência do consumidor encerra uma série de armadilhas. Essas armadilhas são tão insidiosas que até mesmo os grandes anunciantes não estão livres de cair vítimas delas.

A armadilha mais comum é a de ceder à tentação de esquecer o consumidor e de ficar preocupado apenas com o concorrente direto, tentando mostrar-lhe que somos mais poderosos, ou mais engraçados, ou mais qualquer coisa.

É recente, no Brasil, a "guerra das cervejas", na qual dois fabricantes gastaram fortunas em campanhas publicitárias e promocionais tentando, dessa forma, provar quem eram os homens de marketing com "mais bala na agulha", ou quem era mais engraçadinho. Pagaram cachês altíssimos a artistas, que sequer tomam cerveja, com o único intuito de chamar a atenção.

O consumidor, seus anseios e necessidades foram esquecidos. Nenhum comercial foi ao ar falando da excelência da bebida e de seus benefícios. Apenas gracinhas e piadas, e milhões e milhões em produção e veiculação de comerciais de TV, rádio, anúncios de revistas e jornais, cartazes em bares etc.

Aconteceu que, enquanto esses dois fabricantes brigavam entre si, os demais pequenos industriais concentraram seus esforços em tentar atender ao consumidor. No fim da "guerra" alheia, os pequenos saíram ganhando. Viram ampliada sua participação no mercado.

Vamos a outro exemplo.

Durante anos a fio, o Puropurê, da Etti, sofreu o assédio mercadológico do Purecica. Essa categoria de derivados de tomates era o único segmento desse mercado que não era liderado pela Cica (a Cica era a maior empresa brasileira de conservas alimentícias; na época era sediada na cidade de Jundiaí, em São Paulo, com fábricas em mais três ou quatro localidades. Foi comprada e fechada pela Unilever, como tantas outras indústrias que a Unilever comprou e fechou...). O Puropurê estava "atravessado na garganta" do pessoal de marketing da Cica. O que fazia a Cica? Atacava o concorrente com todas as armas possíveis: dava prêmios de vendas para seu pessoal, fazia campanhas publicitárias usando a Mônica (personagem de história em quadrinhos, que estava no rótulo do produto) e cenas de donas de casa, para falar que seu produto era melhor do que o concorrente líder de mercado. Quando baixava os preços, conseguia vender mais, quando não, apenas se valia de sua enorme força de distribuição para bloquear o concorrente.

Esse tempo todo esqueceram de tentar descobrir e atender aos anseios da consumidora em relação a esse tipo de produto.

Finalmente, depois de passar anos se preocupando com o concorrente e de consumir inutilmente muito tempo e dinheiro, a Cica lembrou-se de ouvir o consumidor. No caso, o *perfil do consumidor* era perfeitamente conhecido pela empresa: donas de casa, classe média, urbanas, preocupadas com o bem-estar e a saúde da família, que gostam de cozinhar e fazem compras de alimentos em supermercados. Enfim, estavam passados e repassados todos aqueles itens de que lhes falei no capítulo "Quem é seu consumidor?". Após uma série de pesquisas, nas quais foram identificados os anseios dessa população, a Cica abandonou a "guerra dos purês em lata" e lançou no mercado um purê de tomates embalado em caixinha longa-vida, com o nome de Pomodoro. No terceiro mês após o lançamento, o novo produto deu à Cica a liderança do único segmento de derivados de tomates que ela não liderava. Fez mais: o mercado cresceu cerca de 30% sobre os volumes anteriores, demonstrando que, além de atrair as consumidoras do Puropurê, novas consumidoras (consumidoras potenciais) foram atraídas para esse mercado. A Cica até ganhou o prêmio Top de Marketing com esse caso.

O que aprendemos da lição? Aprendemos que, no momento em que o fabricante tira os olhos do consumidor e se concentra em mirar apenas no concorrente, ele está desorientado. Voltemos ao caso da Cica contra o Puropurê. Durante vários anos, enquanto esteve concentrada em tentar destruir o concorrente, a Cica havia deixado de batalhar por suas consumidoras. Abandonou milhares de consumidoras potenciais que bem poderiam ter sido atraídas para seu mercado e que, realmente, somente o foram quando a empresa se lembrou novamente de atendê-las.

Mais um exemplo, bem rápido, sobre microempresas, comerciantes de lingerie feminina, concorrentes que se digladiavam com guerras de preço. Em busca de preços cada vez mais baixos, uma para destruir a outra, passaram a procurar produtos mais baratos, de qualidade discutível. Acontece que as lojas estavam disputando as mesmas consumidoras, que estavam dispostas a pagar um pouco mais, por produtos de melhor qualidade. Os comerciantes não sabiam disso: achavam que as consumidoras só queriam preços baixos. O resultado foi que as duas lojas acabaram fechando, com grandes prejuízos. Ficaram brigando entre si e se esqueceram de ouvir as clientes.

Essa brincadeira chamada marketing é muito fácil, mas tem regras muito sutis e meandros muito insidiosos. O importante é estar a favor do consumidor e não contra o concorrente.

Em resumo: é fundamental saber quem são os concorrentes, acompanhar seus passos, ver o que está dando certo no mercado e o que eles estão tentando fazer. Deve-se, o quanto possível, tentar aprender com os concorrentes, até mesmo com seus erros. Porém, por mais que a gente esteja com um olho neles, não podemos desviar o outro de cima dos consumidores, nem por um segundo. Um olho no gato e outro no peixe.

CAPÍTULO 8 O que é comunicar?

Existem centenas de excelentes livros sobre a teoria da comunicação, discorrendo sobre Transmissor - Meio - Mensagem - Receptor. Não vou ficar repetindo gente que entende profundamente do assunto. Uma, porque não sou especialista e outra, porque essa matéria é inesgotável em suas teorias, e o objetivo deste livro é, eminentemente, prático.

Então, vamos à prática.

Digamos que agora você tem algumas decisões tomadas sobre seu negócio. Já sabe bem em que ramo está batalhando, conhece seu consumidor, adequou seu produto/serviço ao gosto do público-alvo, deu um belo nome a esse produto/serviço, escolheu um logotipo legível e de cor sugestiva.

Vamos supor que seu negócio seja uma pizzaria de entrega em domicílios. Chama-se La Gioconda (desculpem-me se já há alguma com esse nome. Terá sido mera coincidência). Você acabou de inaugurá-la e já existem três outras pizzarias no bairro. É claro que, antes de montar a pizzaria, já tinha se informado sobre os pontos fortes e pontos fracos dos concorrentes e decidiu que existia uma oportunidade para abrir uma pizzaria. Pesquisou inclusive a Lig-Lé, de comida chinesa entregue em domicílio, que também é sua concorrente, além dos quibes do delivery sírio-libanês.

Seus clientes potenciais precisam ser comunicados da existência da La Gioconda. O meio de atingi-los você também já decidiu: irá distribuir folhetos de casa em casa, por todo o bairro.

Mas o que irão dizer esses folhetos? "Abre-se mais uma pizzaria no bairro?" Embora seja verdadeira, essa frase não tem nenhuma força de marketing. Nem mesmo para atrair as moscas e ratos da vizinhança, que já estão muito bem servidos nas pizzarias dos concorrentes. No máximo, essa frase poderá atrair alguns fiscais.

Antes de anunciar, é preciso ter alguma diferença/vantagem sobre os concorrentes, para justificar a abertura de mais uma pizzaria.

Qual o diferencial da La Gioconda? Por que esse diferencial é uma vantagem? Que benefício o público terá ao preferir a pizza da La Gioconda à da pizzaria em que ele comprava anteriormente?

Entrega mais rápida? Cardápio diferenciado? Preços mais baratos? Sobremesa grátis? Entregadoras de biquíni? Mais higiene e limpeza?

Qualquer que seja ele, é esse diferencial que precisa ser comunicado ao público-alvo: ele que dará a justificativa para a abertura de mais um estabelecimento de entrega de comida em domicílio. Precisa ser um diferencial forte, marcante e característico. Que não seja facilmente suplantado pelos concorrentes e que seja relevante para fazer com que o consumidor – que ainda nem o conhece – mude de fornecedor.

> Lembre-se de que o consumidor não compra o produto pelo que é, mas pelo benefício que pode lhe proporcionar.

Por exemplo, o xampu não anuncia que é dodecilbenzeno succinato de sódio. Isso não interessa à consumidora. O xampu anuncia *o que irá fazer* pela consumidora. Seus cabelos ficarão bonitos e sedosos, e todos os homens interessantes e bonitos do mundo cairão a seus pés.

Outra dica importante é a seguinte: somente anuncie quando tiver alguma novidade para comunicar. Não temos muito dinheiro para investir em comunicação. Por isso mesmo, ela precisa ter, no mínimo, o impacto de uma notícia.

A Coca-Cola, por exemplo, pode se dar ao luxo de fazer um painel luminoso apenas com seu logotipo. Todo o mundo já sabe para que serve, como se usa, onde comprar; enfim, já sabe das vantagens e benefícios do produto. Nesse caso, o que a Coca-Cola está fazendo é manter a fixação da marca nas mentes dos consumidores. Atrás daquele painel, há dezenas de anos e bilhões de dólares de publicidade "vendendo" as qualidades e diferenciais do produto. Evidentemente, não é o caso da La Gioconda. Você está lançando uma pizzaria que ainda precisa dizer ao público quais são os benefícios que está oferecendo, onde está localizada, qual o telefone, e o que veio fazer, no meio de tantos competidores

Se puder descobrir alguma característica *única* de seu produto ou serviço, melhor ainda.

Quando o molho Pomarola era líder destacado de mercado, ele era anunciado à dona de casa como "*o único* que contém a sua receita". Depois disso o fabricante foi vendido duas ou três vezes, não houve continuidade de comunicação, e os novos marketeiros abandonaram essa propriedade em troca de slogans mais engraçadinhos. Ao abandonar esse quadradíssimo slogan de ser o *único,* em troca de frases pretensamente criativas e espirituosas, o molho Pomarola deve ter passado a ser visto pela consumidora como apenas mais uma das diversas marcas existentes no mercado. Embora a fórmula dos velhos tempos tenha sido preservada, o molho foi deixando de dominar o mercado com a mesma liderança destacada. Não sei nem se hoje é líder. Se não for, esse é o preço que está pagando por ter abandonado uma característica tão importante quanto a de ser *o único qualquer coisa* do mercado.

Como vê, ser o único é um diferencial difícil de encontrar, mas que deve ser perseguido; se encontrado, deve ser preservado a qualquer custo.

> Se o seu produto/serviço não puder ser o único, pelo menos ele precisa ser o *mais* em alguma coisa que interesse ao consumidor.

Por exemplo, o Omo, há décadas, "lava *mais* branco". Os biscoitos Tostines, há anos, são "os *mais* fresquinhos". O extrato Elefante "dá *mais* cor", e assim por diante.

Pois bem, digamos que a La Gioconda faça seus folhetos anunciando que é a *única* pizzaria que tem pizza quadrada. Ou, ainda, que suas pizzas têm *mais* sabor.

O que deve ser escrito nos folhetos?

Para ser vendedor, seu texto não pode deixar de ser imperativo, de ser mandão. "Compre", "experimente", "peça agora mesmo". Variações desses imperativos são palavras que devem fazer parte obrigatória de um folheto vendedor.

Mire-se nos exemplos de quem teve sucesso na propaganda. A Coca-Cola sempre escreveu "Beba Coca-Cola". Eles sabem que um verbo no imperativo ajuda o consumidor a decidir.

Outra coisa evidente é adequar a linguagem ao público-alvo. Você já sabe que seu público-alvo tem um determinado perfil: idade, sexo, classe socioeconômica, grau de instrução etc.

Está claríssimo que, para atingi-lo com eficácia, deverá usar uma linguagem que se adapte a esse público.

Além da linguagem, a apresentação é super relevante. Folhetos mal impressos, em papel vagabundo, ou com texto cheio de erros de português, irão transmitir uma imagem de pobreza, desleixo ou falta de qualidade da empresa e de seus produtos e serviços.

Veja bem, estamos falando de folhetos porque esse foi o meio escolhido pela La Gioconda. Se houvéssemos tomado qualquer outro exemplo, os cuidados com a adequação da mensagem, o seu visual e a apresentação, bem como com a linguagem direcionada ao público-alvo, deveriam ser os mesmos.

Use e abuse do logotipo de sua empresa ou produto. Ele precisa ficar conhecido. Tão conhecido como o da Shell ou da Nestlé ou da Coca-Cola ou a bandeira do Japão.

Embora eu tenha aconselhado a usar e abusar do logo, *nunca* faça brincadeiras gráficas com ele. Como já vimos, logotipo é o símbolo sagrado de sua empresa ou produto. Merece respeito e não pode ser alvo de gracinhas, deformações e distorções. As grandes marcas possuem um manual internacional disciplinando o uso e aplicação do logotipo, em todas as filiais do mundo, para evitar, por mínima que seja, uma adaptação ou distorção. É um calhamaço contendo padrões de cor, proporções, locais onde ele deve ficar num cartão de visitas, num impresso, num veículo etc. É obrigatório manter padrão de cores, de formas e proporções.

Outra coisa a ser levada em consideração é a frequência da comunicação. Você lembra o dito: "Água mole em pedra dura, tanto bate até que fura"? De pouco adianta fazer uma comunicação maravilhosa, uma única vez. É preciso repetir a mensagem muitas e muitas vezes, até que ela fique entranhada na mente do consumidor. Embora o formato possa ser modificado, a mensagem-chave, aquela que comunica qual o benefício de seu produto/serviço, deve ser sempre a mesma. Aliás, é até bom mudar o formato, para que seu anúncio não fique parecendo parte da paisagem. Quando colocaram um poste novo na esquina do quarteirão de sua casa, você reparou nele, mas após algum tempo, depois de vê-lo todos os dias igualzinho, no mesmo lugar, você deixou de reparar nele. Se, um dia, ele for pintado de amarelo, você irá reparar nele de novo. Então, para que seu material de propaganda seja notado ou para que ele desperte algum interesse, mude o visual, o formato, mas *mantenha a mensagem-chave*. A mudança de aparência e formato também não pode violentar o visual que se adapta ao perfil de seu público-alvo. Não tenha medo de parecer repetitivo por manter a mensagem. Afinal, ela está comunicando um diferencial que foi muito difícil de estabelecer. É pela repetição que seu consumidor irá fixá-lo na memória.

E não pare de comunicar. Tem gente que acha que só precisa se comunicar quando os negócios não estão indo bem. Nada disso. A comunicação com os clientes deve fazer parte integrante de suas atividades, quer os negócios estejam indo bem, quer estejam indo mal. Comparo a comunicação à locomotiva de um trem. Você tem um trem (o seu negócio) que a locomotiva (a comunicação) põe em movimento. Quanto mais você põe lenha na caldeira, maior velocidade o trem vai adquirindo. Ora, se quando o trem estiver em alta velocidade você resolver desligar a locomotiva, ele ainda continuará em alta velocidade por algum tempo mas, aos poucos, irá desacelerar, até parar. Não pare de comunicar só porque seu negócio está em alta velocidade: continue pondo lenha na caldeira.

Deixe-me contar um caso que nem sei se é verdadeiro, ou se é mais uma das lendas do futebol.

Paulo Machado de Carvalho era um homem da comunicação. Fundou a Rádio Record, a TV Record, a Rádio Panamericana, hoje Jovem Pan, a extinta Rádio São Paulo – todas que formavam um complexo de comunicações denominado "Emissoras Unidas". Tudo isso numa época em que os empreendedores tinham de ser, principalmente, pioneiros.

O Brasil vinha de algumas decepções no futebol. Perdemos a Copa de 1950 para o Uruguai, em pleno Maracanã, e fizemos um fiasco na Copa de 1954, sendo eliminados por uma goleada da Hungria.

Pois o Dr. Paulo foi escolhido para ser o chefe da delegação brasileira para a Copa da Suécia, em 1958. Em resumo, a seleção foi muitíssimo bem, revelando Pelé, consagrando Garrincha, Nilton Santos e tantos outros ídolos do futebol.

A partida final da Copa seria contra os donos da casa que, por coincidência, também usavam camisas amarelas, e a equipe "dona da casa" tem o privilégio de jogar com seu uniforme principal. Portanto, a equipe "visitante", no caso o Brasil, é quem deveria jogar com o uniforme reserva. Ora, os jogadores daquela época (e acho que até hoje) eram muito supersticiosos. O fato de terem que entrar em campo para fazer a final com camisa azul poderia ser algum mau presságio. Muitos entrariam em campo semi-derrotados pela superstição.

Aí, entrou o gênio das comunicações. O Dr. Paulo e o administrador da seleção combinaram uma maneira de comunicar a troca de camisas para os jogadores, que ainda não sabiam que iriam jogar de camisa azul.

O Dr. Paulo reuniu os atletas e saiu com a seguinte história:

"Olha pessoal, a Suécia também tem camisa amarela, e a FIFA vai fazer um sorteio para ver quem vai ter que trocar de camisa. Eu vou indo lá para o sorteio, e vocês fiquem aqui rezando para a gente ser sorteado para usar camisa azul. Azul dá muita sorte. O Uruguai foi campeão do mundo em 1930 e em 1950 usando camisa azul. A Itália foi campeã em 1934 e 1938 usando camisa azul. O manto de Nossa Senhora Aparecida, a padroeira do Brasil, é azul..."

Acabou esse discurso e despediu-se dos jogadores. Ficou com o administrador por umas duas horas fazendo compras, enquanto os jogadores com mais fé permaneceram rezando na concentração, e Dr. Paulo e o administrador voltaram sorridentes para a concentração. "Pessoal! Deus ouviu as nossas preces. Vamos jogar de camisa azul. Acabou nossa fase de má sorte!"

O fato é que a Suécia fez o primeiro gol, mas os brasileiros reagiram maravilhosamente e conquistaram nossa primeira Copa do Mundo, usando camisas azuis e goleando os donos da casa.

A lição é a seguinte: a comunicação é uma arma poderosíssima nas mãos de quem sabe usá-la; a mesma verdade pode ser contada de várias maneiras. Escolha a maneira de contar sua verdade para seu público-alvo, de um jeito que o atinja positivamente.

Por exemplo, se você fabrica uma marmelada, está em maus lençóis. O marmelo está se tornando uma fruta cada vez mais rara. Como é que pode aumentar o volume da marmelada, sem enganar o consumidor? Ora, a maçã é prima do marmelo (como a tangerina é prima da laranja), é muito mais abundante e muito mais barata do que o marmelo. Se fizer uma marmelada com, digamos, 30% de maçã, vai ganhar volume e reduzir custo. E, para não enganar o consumidor, vai descrever no rótulo: *Marmelada Tal*, enriquecida *com 30% de maçã*. Você conseguiu matéria-prima mais barata, e está comunicando ao consumidor a verdade, com palavras que ele gosta de ouvir.

Recapitulando: ache um diferencial de seu produto ou serviço e conte isso para o público-alvo, numa linguagem que seja do gosto dele, de modo que ele seja levado a comprar ou, pelo menos, a simpatizar com seu produto/serviço. Essa mensagem-chave precisa ser um benefício que seu produto/serviço proporciona a seu cliente. Lembre-se de que *ninguém compra um produto ou serviço: as pessoas compram benefícios*. O meio que vai se comunicar a mensagem, seja jornal, rádio, TV, boca a boca, folheto ou carro de som, já é um outro assunto, que está sendo tratado em outro capítulo. Mantenha a mensagem-chave, e não pare de se comunicar. Não retire a locomotiva do trem. Fale a verdade, com as palavras que seu cliente quer ouvir.

CAPÍTULO 9 Um mistério chamado promoção

O termo *promoção de vendas* é largamente usado nos negócios, mas acompanhado de uma grande confusão.

Para alguns empresários, ele substitui a palavra marketing; para outros, é confundido com propaganda; e, para outros, ainda, é considerada uma atividade menor, subsidiária da propaganda ou da venda pessoal.

Fabricantes lhe dão um significado diferente do que é dado pelos atacadistas e estes, ainda, outro sentido, diverso daquele interpretado por varejistas ou prestadores de serviços.

A American Marketing Association tem uma definição que coloca a atividade promocional como um complemento e um suplemento para a propaganda.

A gente tem a mania, ou o defeito, de sempre buscar modelos em países estrangeiros e nos esquecemos que aqui no Brasil também temos profissionais do mais alto gabarito, que nada ficam devendo aos melhores do mundo. Em termos de promoções de vendas, por exemplo, o Brasil pode orgulhar-se de ter um profissional do porte de João De Simone, um papa do ramo da comunicação promocional, que me deu, uma vez, uma definição concisa e precisa daquilo que devemos entender como promoção de vendas:

> *Promoção de vendas* é a atividade de curta duração, que visa aumentar o volume de vendas de um determinado produto/serviço, num determinado momento e/ou num determinado lugar.

E será essa definição que irei adotar para pautar alguns exemplos neste capítulo.

Pode-se "promover" todo o estoque ou, apenas, alguns itens, de acordo com o interesse do momento.

Qual a melhor época para se fazer uma promoção? Nossa! Isso depende de dezenas de fatores. As empresas (de lojas a indústrias) deveriam ter um verdadeiro calendário promocional.

Esse calendário pode estar ligado a datas especiais, como Natal, Páscoa, Dia das Mães, Festas Juninas etc. Pode, também, estar ligado às estações do ano ou, mesmo, atado a eventos esportivos, culturais, estudantis, profissionais etc. Tudo vai depender dos objetivos comerciais da empresa, de seu público-alvo e do ramo de negócios. O empresário, com o traquejo que já tem de seu negócio, saberá quando fazer cada tipo de promoção. Deverá conhecer, principalmente, todo o planejamento que cada tipo de promoção exige, isto é: planejamento de estoque, treinamento do pessoal envolvido, decoração do estabelecimento, embalagens, bem como a eventual divulgação da promoção entre o público-alvo.

O maior erro que um Micro ou Pequeno empresário pode cometer é o de encarar a promoção de vendas como um "quebra-galho" ou improviso. Aquele que agir dessa maneira, dificilmente, e só por acaso, irá desencadear uma promoção que dê bons resultados. O exemplo típico é o do lojista que, ao desconfiar que vá "micar" com parte do estoque, resolve baixar os preços sem levar em consideração nenhum outro tipo de apoio mercadológico, ou sem se preocupar com um mínimo de planejamento. Olhe, para fazer promoção de certo item, nem sempre se deve reduzir o preço. Você pode promover um artigo, simplesmente, dando destaque a ele em sua loja. Expondo-o de maneira a chamar a atenção do consumidor, ou colocando-o ao lado de um produto campeão de vendas e que seja de uso correlato. Por exemplo, para promover a venda de queijo ralado, o supermercadista não precisa baixar o preço. Basta expor o queijo próximo à prateleira do macarrão. Para promover uma gravata, é suficiente expô-la junto com uma camisa, e assim por diante.

Além disso tudo, em vez de baixar preços, é possível fazer a chamada "promoção interna", ou seja, fazer promoção com seus próprios vendedores. Aumente a comissão do item que está "micado". Você verá que, em vez de dar 20 ou 30% de desconto, pode dobrar a comissão dos vendedores para o item do qual quer se livrar – e essa comissão é bem inferior ao percentual do desconto. Assim, seu estoque irá embora rapidinho, com menor despesa e maior satisfação dos vendedores.

Às vezes, nem é preciso mexer na comissão. Concursos entre os vendedores, dando um prêmio ou um troféu para o vencedor, campeonatos entre equipes etc. O importante é que, nesses campeonatos ou concursos, sejam dadas metas atingíveis, caso contrário o efeito poderá ser negativo.

Escolha os itens que quer desovar do estoque, dê metas realistas para seus vendedores, escolha alguns prêmios que os estimulem, reúna-os para fazer a divulgação da promoção interna e espere para ver os resultados.

Esse tipo de concurso interno deve ser curto e bastante "badalado". Normalmente, a entrega dos prêmios é feita durante uma festinha, tudo dependendo do nível de seus funcionários e de seus hábitos pessoais.

Dependendo do tipo de negócio, outra variação dessa promoção é a premiação de vendedores ou balconistas de terceiros, seus revendedores. Por exemplo, um fabricante de tintas, como a Coral ou a Suvinil, pode, muito bem, fazer promoções com os balconistas das lojas de tintas. Afinal, são eles que dão a última empurradinha na mercadoria para as mãos do consumidor final. Você está lembrado do exemplo dos consumidores de Danone? Então, qualquer uma das pernas da cadeira pode ser o alvo da promoção.

Quem trabalha vendendo por meio de atacadistas ou distribuidores sabe muito bem que o vendedor do atacadista sai para viajar com uma lista de produtos que tem mais de dois mil itens. Sabe, também, que esse vendedor, ao chegar à casa do freguês, não tem tempo nem paciência para oferecer-lhe todos os itens. Antes de desfilar um quarto da lista, já terá esgotado o crédito ou a paciência do comprador. Ou ambos. Portanto, só serão oferecidos os itens dos quais o vendedor se lembrar na hora, ou aqueles que estiverem em promoção. Desses, ele nunca se esquece.

Donde se conclui que leva vantagem o fornecedor que consegue fazer seus produtos serem lembrados pelo vendedor do atacadista. Você leu, em alguns capítulos atrás, que um mesmo produto precisa ser "vendido" para diferentes pessoas. Um dos "clientes" mais importantes da empresa que vende por meio do atacado é o vendedor do atacadista. Se ele não simpatizar com seu produto ou esquecer de que seu produto existe, deixará de oferecê-lo e a consequência será uma falta de giro de seu produto no estoque do atacadista, que deixará de comprar ou, pior ainda, tirará o produto de sua linha de itens.

Mas digamos que sua empresa trabalha com produtos de consumo sazonal. Refrigerantes, por exemplo. Ou, pior ainda, sorvetes.

Qual a melhor época para fazer promoções? No verão, quando o produto vende sozinho? No inverno, quando as vendas despencam?

Resposta: depende.

Você deve estar pensando: "Que resposta mais evasiva! Parece político em cima do muro!" Mas não é evasiva, não. Quer ver?

Digamos que no verão você venda 100 unidades por dia e no inverno apenas 10.

Você tem equipamento e gente suficientes para produzir 150 unidades por dia. Portanto, segundo dizem os profissionais que lidam com planejamento de produção, você está com 33% de capacidade ociosa. Nesse caso, evidentemente, tem que fazer promoção no verão, para aproveitar o embalo dos consumidores e aproveitar a capacidade ociosa.

Por mais que invente promoções no inverno, jamais serão atingidas as 50 unidades adicionais/dia, que poderão ser alcançadas no verão. Por outro lado, se no verão você vende as 100 unidades/dia, mas sua capacidade de produção não consegue ultrapassar esse volume, não será interessante fazer qualquer promoção, pois estará sendo criada uma demanda que você não tem condições de atender.

Nesse caso, deixe para fazer a promoção no inverno. Quem sabe suas vendas não irão crescer de 10 para 15, tirando a venda de algum concorrente e melhorando seu movimento na época das "vacas magras".

Veja nesse exemplo dado que em ambos os casos sua promoção conseguiu o mesmo resultado percentual. Isto é, ampliou as vendas em 50%. Só que, no primeiro caso, o aumento foi de 50% sobre uma venda de 100 e no segundo, foram os mesmos 50%, só que sobre 10.

Não há dúvidas, portanto, que, de preferência, os produtos sazonais devem ser promovidos na época de alta estação, caso existam condições de atender a uma maior demanda. O retorno do investimento é muito maior do que se os recursos de marketing forem aplicados na época de baixas vendas. Aliás, não é por outra razão que a Coca-Cola, a Brahma e a Kibon anunciam mais no verão e que a Lacta, a Garoto e os Caldos Maggi anunciam mais no inverno. Eles sabem o que fazem, e porque o fazem.

Outro lembrete importante. Em qualquer promoção que fizer, especialmente ao consumidor final (seu público-alvo), tenha sempre em mente que sua empresa/produto/serviço tem uma imagem que precisa ser mantida.

Você conhece aquele tipo de promoção em que um fabricante de bebida alcoólica dá um copo de brinde, acoplado à garrafa. Se sua empresa vende pinga, o copo bem pode ser um desses copos americanos. Mas, se sua empresa vende uísque nacional, o brinde precisa ser um copo de cristal. E, se sua empresa vende Scotch 20 anos, nem fica bem dar qualquer tipo de brinde.

Além disso, o brinde tem que ter alguma coisa a ver com o produto promovido. Você pode dar de brinde uma palha de aço, amarrada a dois frascos de detergente de lavar louça. É um bom brinde. No entanto, a mesma palha de aço parecerá um brinde muito estranho se for dada junto com uma das garrafas de bebida de que falamos acima.

Exemplo de promoção criativa e barata, para resolver um problema:

Quem vende para supermercados sabe que na área de estoque não podem permanecer caixas abertas e com produtos dentro. Ora, certa vez um gerente de produto da Heublein (fabricante e distribuidora de bebidas) notava falta de seus produtos nas gôndolas dos supermercados, embora a loja tivesse o produto em estoque. Acontece que uma caixa de bebidas pesa muito mais do que uma caixa de pasta de dentes, o que faz com que os meninos responsáveis pela reposição de produtos nas gôndolas deem preferência a repor pasta de dentes, e não as bebidas.

Aí, o tal gerente de produtos teve uma ideia promocional. Consultou uma editora das revistas em quadrinhos e negociou para comprar todo o encalhe de banca de revistas infantis, pelo preço de papel picado. Baratinho, baratinho. Essas revistinhas foram para a fábrica e, em cada caixa de bebida, era colocada uma revista. Os repositores de supermercado foram informados pelos vendedores (com folhetos impressos) que nas caixas das bebidas da empresa havia uma surpresa para eles. Aconteceu! Mal as caixas chegavam ao estoque, os repositores disputavam para saber quem iria abri-las primeiro, para ficar com a revistinha. Ora, como caixa aberta não pode ficar em estoque, a bebida ia imediatamente para as gôndolas e, enquanto durou a promoção, não faltava produto nas prateleiras.

Simples, barato, eficiente, atingindo diretamente o público-alvo (repositores) e resolvendo um problemão. Soube que, depois, a empresa usou a mesma estratégia mudando o brinde: começou a colocar camisetas, bonés, e outros produtos baratinhos nas caixas, sempre com o mesmo sucesso. Então, veja porque isso se chama promoção de vendas: aumentou as vendas do produto (as bebidas), num determinado local (supermercados), durante um período de tempo (enquanto durou a atividade).

A promoção de vendas com brindes ao consumidor final mereceria um capítulo à parte, de tão complicada, controversa e sutil. Mas acho que dá para resumir aqui mesmo, dentro do assunto de promoções.

Há algumas décadas, o apelo supremo da promoção ao consumidor era um "Fusca Zerinho". Daí, passamos a viagens, barras de ouro, apartamentos com carro na garagem, voltaram os carros (agora importados), entre outros. O fato é que o apelo dos brindes está ligado a quatro fatores importantes.

a) Credibilidade: Certeza de que o brinde será mesmo entregue, e de que "eu tenho condições de ganhar".

b) Simplicidade: Por exemplo, se eu faço um concurso com regras complicadíssimas, no qual o ganhador precisará ter bebido 198 dúzias de refrigerante por semana, para trocar as tampinhas, no correio, por um cupom que irá ser sorteado... bem, isso é muito complicado e desanima o cliente, por mais atraente que o brinde possa ser. A mecânica do brinde tem de ser muito simples: do tipo "achou, ganhou", "compre dois e leve um outro produto como brinde" ou, no máximo, o consumidor deve colocar cupons em urnas, para sorteio. Evite que o consumidor tenha que "investir" em envelopes e selos do correio, ou seja, pagar para concorrer. Isso ele faz na loteria, com perspectiva de vir a ganhar muito dinheiro, mas não anima muita gente a ter o trabalho de ir ao correio, comprar selos e envelopes, para concorrer a um brinde.

c) Tangibilidade: A possibilidade de que as pessoas possam vir a ganhá-lo e usá-lo. Uma mecânica complicada, como a que foi descrita acima, torna o brinde inatingível, deixando muito longe até mesmo a possibilidade de concorrer, quanto mais ganhar.

d) Desejabilidade: O brinde deve ser algo que o público-alvo queira muitíssimo possuir, mas não tenha dinheiro ou coragem para comprar. Pode ser que alguns consumidores tenham interesse numa viagem a Bornéu, ou a Bangladesh, mas, convenhamos, deve ser uma minoria. É preciso descobrir qual é o objeto de desejo de grande parte seu público-alvo.

Vou contar outra história real, muito antiga, mas que dá bem a medida do que eu quis dizer, quando falei sobre o público-alvo querer possuir, mas não ter coragem de comprar. No início da década de 1960, visando aumentar a experimentação de seus produtos, a Colgate-Palmolive tinha equipes de moças que visitavam os bairros da periferia, vendendo conjuntos com algumas unidades de sabonete, algumas unidades de creme dental e, em cada um dos conjuntos que a consumidora comprasse, ela ganhava um produto grátis. Esse produto podia ser uma lata de talco, um sabonete, um creme para mãos, ou um outro produto qualquer da empresa, que se enquadrasse dentro de uma verba proporcional ao valor de cada conjunto. O creme para mãos Cashmere Bouquet era um produto com vendas muito baixas, mas que, por incrível que pareça, era o brinde mais cobiçado pelas donas de casa. O conjunto que oferecesse creme para mãos como brinde era sempre o campeão. Por quê? Qual o mistério? Conforme descobriu o pessoal de pesquisa de mercado da empresa, a dona de casa gostaria muito de usar um creme para mãos, mas não tinha coragem de comprar, por achá-lo supérfluo (um luxo que ela não teria como justificar a compra, nem para o marido nem para si mesma). Ora, quando o creme era dado como brinde, ela nem precisaria justificar para o marido. "Olha, meu bem, comprei uma oferta de sabonetes e pasta de dentes e, de graça, ganhei este creme." Ou justificar para si mesma: "Puxa, ganhei um creme de mãos de graça. Não ficarei com remorso de ter gastado dinheiro num benefício só para mim". Ora, sabonete e creme dental são itens obrigatórios na casa. Já o creme, tão cobiçado para amaciar suas mãos, ela não tinha coragem de comprar porque não era um benefício para a família toda (como os sabonetes e pastas de dentes), mas só para ela. Essas sutilezas do consumidor é que precisam ser perscrutadas, para que se ofereça um brinde desejável.

É muito difícil encontrar um brinde que satisfaça ao mesmo tempo aquelas quatro características. Algumas pessoas almejam uma viagem ao Tibete. A maioria, no entanto, nem sabe onde fica isso. Algumas donas de casa sonham com ter um forno de micro-ondas; outras já têm e não sabem o que fazer com ele. Há quem deseje um desses aparelhos de fazer ginástica, que muitas vezes acabam servindo de cabide, porque a pessoa que ganhou não tem tempo ou interesse em exercitar-se. Duvido que exista algo que desperte o desejo de todos os consumidores. Novamente, o "faro" do empresário é que terá de funcionar. Afinal, é ele quem conhece – ou deveria conhecer – seu público-alvo, seus desejos e aspirações.

E brinde de fim de ano, então?

Calendários, chaveiros, canetas, uísque para o gerente do banco, cesta de Natal para os compradores dos principais clientes etc. Você já parou para analisar se esse tipo de brinde dá algum retorno? É bom pensar, antes de comprometer uma verba que poderá lhe fazer falta para pagar as duplicatas que irão vencer em janeiro.

Talvez seja melhor ter brindes e lembrancinhas para o ano todo, do que tê-los apenas no Natal. Nesta época seu brinde estará "concorrendo" com dezenas de outros, mais caros, mais sofisticados, mais originais e com maior apelo que o seu. Nessa "farra"de brindes, o seu estará, até, correndo o risco de ter um apelo negativo. Você imaginou se seu concorrente acabou de dar ao comprador de seu cliente um Rolex de ouro e, em seguida, você aparece com uma garrafa de vinho, daquelas azuis? Que vexame, hein? Seria melhor não ter dado nada. Além de ter gastado um dinheiro que pode vir a fazer falta, ainda fez um papelão terrível. Marcou um gol contra. Pense nisso. No entanto, se, durante o ano, tivesse aparecido com a mesma garrafa de vinho, provavelmente teria feito o maior sucesso.

O ideal é que o brinde tenha algo a ver com seu produto/serviço. Por exemplo, se você trabalha com automóveis, um brinde bom seria algum objeto ligado ao ramo. Se trabalha com serviços de informática, dá para personalizar com seu logotipo uma série de objetos do ramo (pen-drives, mouse-pads etc.), que lembrarão sua empresa por meses a fio. É só deixar a imaginação à solta.

Vou, agora, listar uma série de atividades promocionais que podem ser exploradas por alguns dos Pequenos e Micro empresários. Nem tudo poderá ser feito por todos, mas, se alguma dessas ideias puder ser aproveitada, já terá compensado o custo deste livro:

- Expositores de ponto de venda.
- Campanhas cooperativas.
- Participação em feiras e exposições.
- Brindes ao consumidor.
- Concursos (para consumidores, vendedores internos e balconistas/vendedores de revendedores).
- Amostras.
- Demonstradores.
- Catálogos explicativos.
- Extensão do prazo de garantia de produtos/serviços.
- Embalagens reutilizáveis.
- Cupom de desconto.

E, finalmente, porque é o menos importante e o que mais caro poderá lhe custar:

- Desconto de preço.

E essas são apenas algumas das milhares de coisas que, com sua criatividade, poderão ser feitas em termos de PROMOÇÃO DE VENDAS. Agora você já sabe o que é isso, tem umas dicas do que não funciona muito bem e daquilo que pode funcionar.

Nunca mais terá desculpas para não ter sucesso em alguma promoção que venha a fazer, e nem precisará ater-se apenas a descontos de preços.

CAPÍTULO 10 Vitrines

"Quem não se mostra, se esconde", diz o velho ditado. Como bom lojista, você está cansado de saber a importância da vitrine para seu comércio. Mas é engraçado: embora a gente veja, diariamente, centenas, talvez milhares de vitrines, poucas são as que nos entusiasmam. A maioria das vitrines é de uma mesmice enfadonha, quando não é irritante.

Outro dia, eu estava folheando uma revista japonesa de vitrinismo e maravilhava-me em cada página. Há dezenas de boas revistas sobre o assunto. Infelizmente, não conheço nenhuma brasileira. Parece que o comerciante brasileiro não dá a devida importância a esse recurso de vendas. Em outros países há vitrines estonteantes. Atraentes, vendedoras, cheias de técnicas para hipnotizar o cliente. Aliás, alguns profissionais já batizaram essas técnicas de vitrinismo de "exibitécnica". É uma pena que, aqui no Brasil, vitrine tenha tão pouco uso no arsenal de marketing. Ao contrário, há vitrines que até desmerecem a loja.

Na década de 1950, nos anos ingênuos, a Prefeitura de São Paulo promovia um concurso anual de vitrines, e um corpo de jurados escolhia as melhores vitrines do centro da cidade e dos bairros. Esses lojistas eram isentos do imposto predial no ano seguinte. Há mais de meio século havia mais vitrines bonitas e criativas do que hoje.

Dê um passeio num shopping center e veja o que lhe agrada e desagrada nas diversas vitrines. Por exemplo, pare numa joalheria e admire as peças expostas com extremo bom gosto. Tudo limpinho e brilhando. Algumas joalherias expõem peças com preços; outras, não.

No caso de vitrines de produtos sofisticados, a técnica é colocar em exposição peças de vários níveis de preço, *e exibir os preços*. Vitrine sem preço pode assustar o freguês potencial, que pode desconfiar que os valores estão fora de seu alcance. Mas, se o pretenso freguês vir peças de vários níveis de preço, ele criará coragem para entrar na loja, sabendo que talvez ali ele encontre algo que caiba em seu orçamento.

Falei de jóias, como poderia ter falado de calçados, roupas, vinhos ou qualquer outro artigo.

Outro defeito comum de nossas vitrines é o seguinte: você olha a vitrine e se interessa por alguma coisa exposta, mas não vai comprar na hora. Acontece que na vitrine inteira não tem nenhuma menção ao nome da loja. Se quiser saber qual é o nome, terá que se afastar alguns passos e olhar a tabuleta da loja, o que pouca gente faz. Não seria melhor se, dentro da vitrine, tivesse uns cartazes com o nome da loja? Ou, os próprios cartões com preço poderiam ter o logotipo e o nome da loja.

Colocar cartaz na vitrine não é só para 'escândalos' de queima de estoque e outras atividades dessa natureza. Nada contra. Cada comércio tem seu perfil definido e há um certo tipo de comércio que vive dessas "queimas" de estoque. Mas, fora das liquidações, o resto do ano, podem ser cartões e etiquetas discretos, que componham a imagem que você quer que sua loja tenha.

Outro aspecto da vitrine é que ela precisa ser modificada periodicamente, para não virar "paisagem". Deve ser dinâmica. Mudar com as diferentes datas promocionais do ramo. Além das festas comuns, como Natal, Dia das Mães, Dia dos Namorados etc. e das mudanças de estações do ano, o lojista pode fazer uma série de outras referências comemorativas em sua vitrine. Sei lá, se você tem uma papelaria, e seus clientes são estudantes e mães de estudantes, por que não fazer vitrines para datas como Dia do Índio, Semana da Pátria, Descobrimento do Brasil etc.? Se sua loja trabalha com roupas de esporte, por exemplo, faça a Semana do Training, Mês do Vôlei etc. No capítulo sobre promoções citamos o tal calendário promocional. Esse mesmo calendário pode servir para a decoração das vitrines. Como já repeti, cada comércio tem suas peculiaridades. A ideia geral é agitar a vitrine. Usá-la, mesmo, como arma de marketing.

Acontece que isso dá trabalho e, se o lojista for acomodado, sua vitrine será uma grande peça de marketing inútil. Separe uma verba especial para aplicar na decoração da loja. Se tiver dinheiro, contrate um vitrinista profissional. Há pouquíssimos no Brasil, e são relativamente caros. Então, aprimore-se. Compre, de vez em quando, uma revista estrangeira especializada e, depois de algum tempo, verá que está pegando o jeito: sua vitrine estará contribuindo muito para a imagem e aumentando as vendas de sua loja.

Há indústrias que, embora não vendam direto ao consumidor, mantêm uma vitrine expondo seus produtos na portaria principal da empresa. Além de denotar orgulho pelo que fabrica, uma indústria que expõe seus produtos de maneira adequada também influi no moral dos próprios funcionários e na percepção dos fornecedores que a visitam. Se tiver uma indústria, pense nisso.

Estandes em feiras e exposições são outro tipo de vitrinismo que também deve ser feito por especialistas. Nesse caso, não há como o empresário tentar fazer ele mesmo. Ora, se já investiu na locação de espaço, é porque tem capital para isso. Portanto, nada de contratar uma empresa aventureira, porque você estará correndo o risco de ver a feira começar sem que seu estande esteja pronto. Nesse caso, também, quase sempre, o barato sai caro. Uma empresa idônea vai precisar saber qual a localização exata de seu estande, suas dimensões, quais produtos/serviços irão promover. Essa empresa, por ser do ramo, já tem uma boa ideia do tipo de público e a frequência que pode ser esperada. Vai querer saber se haverá venda, ou apenas exposição, vai pedir amostras dos produtos que serão expostos/vendidos para poder projetar um estande funcional no espaço que alugou. Apresentará duas ou três sugestões, para que escolha qual será a mais interessante, e você ainda deverá indicar alterações, para que o estande fique do jeito que quer. Tudo isso dentro de prazos estreitos, porque há um dia estabelecido para começar a montagem e um dia marcado para desmontar e liberar o espaço. Além disso, se pretende fazer vendas no local, não se esqueça dos aspectos fiscais: notas fiscais de remessa, notas fiscais de venda com o endereço do estande, notas fiscais de retirada etc. Lembre-se de telefones, móveis, depósitos fechados e coisas práticas.

CAPÍTULO 11 Embalagem

Se sua empresa é prestadora de serviços, sorte sua. Não vai ter que ler este capítulo. Em compensação, se trabalha com produtos de consumo ou é um lojista, preste muita atenção em tudo o que vem a seguir.

Importância da embalagem

Embalar é o processo de colocar um produto num envoltório para comercializá-lo.

Em si mesmo, esse ato parece de uma simplicidade extrema. Entretanto, uma vez que cerca de 500 bilhões de unidades de diferentes produtos são embaladas anualmente, o assunto já passa a ter, pelo menos, uma tremenda importância econômica. Entre os maiores custos de uma empresa de produtos de consumo, geralmente muito maior do que o custo da mão-de-obra, está o custo com os diversos materiais de embalagem.

Se do ponto de vista econômico a importância é dessa magnitude, do ponto de vista de marketing essa importância é ainda maior: é a embalagem que passará ao consumidor a primeira impressão que ele terá de seu produto.

É ela que irá transmitir ao consumidor as informações sobre a qualidade, os usos, cuidados, nome do fabricante, prazos de validade, modo de armazenagem, textos legais, como CNPJ e endereço do fabricante etc.

Ora, já que seu produto precisa ser embalado, por que não aproveitar essa obrigação para transformá-la em mais uma peça no quebra-cabeça de marketing?

Nesse campo, o Brasil também tem figuras exponenciais, com empresas de alta capacidade técnica e artística, lideradas por profissionais que se tornaram referências no ramo, como Lincoln Seragini e Fábio Mestriner, apenas para citar dois dos brasileiros altamente competentes e criativos.

Tipos de embalagem

a) Embalagem primária: é o nome dado ao envoltório (seja de vidro, papel, plástico, lata, alumínio etc.) que tem contato direto com o produto. Geralmente esse tipo de embalagem já sai com o produto desde a linha de produção e, na prática, faz parte integrante dele e o acompanha até o momento em que ele será consumido ou utilizado. É o caso, por exemplo, do tubo da pasta de dentes, da lata de goiabada, do frasco plástico do detergente, do papel colorido do bom-bom, da garrafa de cerveja etc.

b) Embalagem secundária: refere-se aos envoltórios adicionais que devem ser acoplados à embalagem primária e que são sempre indispensáveis à sua complementação. Nesse caso, podemos citar o cartucho de cartolina da pasta de dentes, o pacote de papelão contendo seis latinhas de cerveja, o sofisticado cartucho de cartolina decorado do frasco de vidro de perfumes finos.

c) Embalagem display ou expositora: é aquela embalagem na maioria das vezes transparente que, além de proteger o produto, serve para exibi-lo ao consumidor no ponto de venda. Neste caso, os exemplos mais típicos são as embalagens de pilhas e baterias (chama-se blister), as caixas de bonecas e outros brinquedos com uma "*janela*" transparente para você ver o que tem lá dentro, aquelas "tripas" cheias de pacotinhos de queijo ralado e qualquer outra forma que facilite a visualização e a exposição do produto.

d) Embalagem de embarque ou caixa de embarque: são aquelas usadas para proteger o produto durante o transporte. Os exemplos mais típicos são os engragados de plástico que comportam dúzias de garrafas de cerveja ou refrigerante e as caixa de papelão corrugado que embalam a maioria dos produtos de consumo, nas grandes quantidades compradas por atacadistas ou supermercados e demais revendedores. Também eletrodomésticos e produtos eletrônicos são embalados nesse tipo de caixas de embarque de papelão, complementada por suportes de isopor, para proteger o produto das vibrações e choques que invariavelmente ocorrem no transporte.

e) Rótulo: é o processo de identificação do produto. Pode ser tanto aderido à embalagem primária (rótulo de cerveja, de lata de leite em pó etc.) como impresso diretamente na embalagem primária (tubo plástico de mostarda, tubo de pasta de dentes, pote de margarina, envoltório plástico de palha de aço etc.).

f) *Multipacks* ou embalagens combinadas: Uma embalagem *multipack* agrupa duas ou mais embalagens primárias (geralmente menos de doze) num "estojo" ou envoltório de fácil transporte. Esses itens juntos são vendidos como uma única unidade e devem ser considerados um produto diferente. Tanto que, no caso de lojas que usam código de barras, essa embalagem múltipla recebe um código diferente daquele que é dado ao mesmo produto em sua embalagem primária. É o caso típico das embalagens de meia dúzia de latinhas ou garrafinhas de cerveja, ou daquelas com quatro ou oito rolos de papel higiênico.

Muitas vezes esses *multipacks* reúnem produtos diferentes, mas de uso correlato. Pode ser, por exemplo, um envoltório (às vezes, uma simples fita adesiva) reunindo duas latas de ervilha e uma de milho.

O uso desses *multipacks* é destinado a inúmeras finalidades, dentro de suas necessidades de marketing:

- Tornar conhecido um produto novo, unindo-o a outro, para o mesmo público, e que já seja campeão de vendas.
- Ganhar mais visibilidade dentro do ponto de venda, uma vez que as lojas e supermercados costumam dar destaque a esse tipo de embalagem, principalmente se for promocional.
- Sugerir a compra de maiores volumes pelo consumidor, visando aumentar o consumo do produto e bloquear vendas de algum concorrente.
- Desovar estoques de determinados itens. Como esse tipo de embalagem pode ser confeccionado dentro do depósito do varejista, quando houver excesso de estoque de um determinado artigo, e ele estiver pressionando-o, até mesmo, para uma devolução, em lugar de aceitar a devolução da totalidade dos produtos, é mais barato propor uma promoção do tipo "leve três e pague dois" e bonificar parte do estoque de seu cliente. Isso ocorre, com regularidade, com panetones – depois do Ano-Novo – e com ovos de Páscoa.

Por oferecer um sem número de variações, além de trazer vantagens tanto ao fabricante, como ao varejista e ao consumidor, esse tipo de embalagem é frequentemente usado na introdução de novos produtos ou para desencadear rápidas promoções de vendas localizadas em uma região ou mesmo em um cliente específico.

No entanto, embora tenha muitas vantagens, a embalagem *multipack* tem suas limitações. Por exemplo, produtos de uso relativamente longo ou que possuam vida útil relativamente curta não terão esse tipo de embalagem aceito nem pelo comerciante, nem pelo consumidor.

Também não é bom juntar produtos de sabores ou perfumes diferentes, pois o consumidor que tem preferência por um determinado sabor ou cor passará a rejeitar o "pacote" todo pois, aparentemente, estão lhe empurrando uma coisa que não é de seu agrado.

Outra limitação é reunir produtos de alto valor unitário. Nesse caso o preço do conjunto ficará muito alto e assustará os consumidores.

O aspecto legal e fiscal também precisa ser estudado previamente antes de se partir para *multipacks* contendo produtos de classificação fiscal diferente. O Fisco considera o *multipack* como um novo produto e os impostos que incidirão sobre o conjunto serão calculados conforme o item de maior alíquota.

Se, por exemplo, você juntar um desodorante, cuja alíquota de IPI é de 10%, com uma colônia, que tem alíquota de 50%, o conjunto pagará 50% de IPI, onerando o desodorante absurdamente.

FATORES A CONSIDERAR NA ESPECIFICAÇÃO DA EMBALAGEM

Para estar absolutamente seguro de que a embalagem vai proteger o produto em todo o seu ciclo de vida, desde a produção, passando por transporte, armazenagem, exposição no ponto de venda, transporte até a casa do consumidor e, por fim, pelo manuseio do cliente, é preciso planejar a embalagem levando em consideração uma série de detalhes importantíssimos.

TAMANHO

A embalagem deve ser dimensionada visando a facilidade do consumidor. Um pacote com uma dúzia de refrigerantes é muito mais difícil de ser manuseado do que um que tenha apenas meia dúzia. Nesse caso, a conveniência exige um pacote com maior portabilidade.

O modo como o consumidor usa e armazena o produto deve influenciar decisivamente a definição das dimensões da embalagem. Para uso doméstico a dona de casa não irá querer uma lata de dois quilos de leite condensado. Ela só faz doces ocasionalmente e, quando faz, elabora receitas nas quais o padrão é a latinha de duzentos gramas. Se tiver de guardar o resto da lata de dois quilos, vai ser um estorvo na geladeira e, ainda por cima, o resto do leite condensado poderá estragar antes que ela tenha de usar novamente.

A facilidade de estocagem em casa também é fator decisivo. As prateleiras dos armários domésticos têm uma altura mais ou menos padronizada. Lembro-me de um caso em que um fabricante de vinagre lançou um frasco muito elegante e de rótulo muito bonito e bem atrativo. As vendas iniciais foram excelentes, mas depois disso decaíram e não havia meio de deslancharem, apesar dos esforços de propaganda e promoção. Descobriu-se, mais tarde, que o novo frasco era alguns centímetros mais alto do que os demais frascos de vinagre e, por isso, não cabia na prateleira que existe embaixo das pias das cozinhas, local onde, normalmente, é guardado o vinagre que está em uso.

O mesmo cuidado tem de ser tomado em relação às prateleiras das gôndolas dos supermercados. Um determinado xampu passou a utilizar um frasco bem chatinho, com fundo estreito, que mal se equilibrava de pé. Quando alguém ia pegar uma unidade, mesmo apenas para ver, derrubava todos os outros que estavam na prateleira, como se fosse uma fileira de dominós. Foi um vexame. Diversos supermercados pararam de comprar o tal xampu, até que o fabricante descobriu o porquê e melhorou o equilíbrio dos frascos.

Muitos produtos são apresentados em diversos tamanhos, visando atender as necessidades de diferentes tipos de consumidores. Quando falávamos que é preciso conhecer as necessidades do consumidor, seus hábitos de consumo, quando e como usa o produto, nossa intensão também era dimensionar corretamente as embalagens.

Formato

A *tradição* é o fator que mais define o formato que deverá ter a embalagem primária de um produto. Há embalagens tão tradicionais que, sozinhas, já definem o que está dentro delas. Por outro lado, ignorar a tradição é correr risco de ser ignorado pelo consumidor. Tente lançar um vinho tipo alemão em garrafa com formato diferente da tradicional. Não acredito que o consumidor irá aceitá-lo. O mesmo se pode dizer a respeito de uma série de outras categorias de produtos, dos quais a embalagem, praticamente, define o conteúdo. Os produtos de limpeza com amoníaco, por exemplo, têm frascos com formatos semelhantes. Acho que você está lembrado das várias tentativas de se vender vinhos em embalagem longa-vida. Recentemente tentaram, com toda a propaganda possível, lançar pasta de dentes dentro de um saquinho plástico. Por várias vezes alguns fabricantes lançaram embalagens de catchup em formatos de potes, copos, caixinha longa-vida: tudo em vão. Não pegaram. O consumidor de catchup já se habituou com aquele formato de frasco, pouco conveniente, que precisa levar uma palmadas no traseiro, ou precisa ser espremido, para que o produto passe por aquele gargalo estreito. O fracasso, em todos esses casos, e em muitos outros, é a quebra da tradição. Pode ser que, um dia, após tantas tentativas, um desses fabricantes consiga fazer com que o consumidor venha a aceitar um desses produtos numa embalagem não tradicional, mas que vai ser difícil, isso vai.

A *utilização* e o *manuseio* do produto também definem o formato da embalagem. Recentemente, os fabricantes de detergentes de lavar louças descobriram que, com o uso, o rótulo de papel ficava se esfarelando nas mãos molhadas da dona de casa. Um dos fabricantes deu uma pequena modificada no frasco e passou o rótulo para uma posição na qual ele não é tocado pelas mãos da dona de casa enquanto ela lava a louça. Teve tão grande sucesso que os concorrentes tiveram que fazer a mesma alteração.

Fatores relacionados ao custo são determinantes na decisão da escolha do formato de uma embalagem. Fabricar vidro de boca larga é mais caro do que um de boca estreita. Além disso, a tampa do vidro de boca larga será bem mais cara do que a tampa do outro que tem boca estreita. Às vezes, o custo sobrepõe-se à praticidade. A embalagem mais prática ficaria tão cara que poderia prejudicar as vendas: é a famosa questão custo-benefício.

O *apelo visual* é, no entanto, o grande influenciador dos formatos das embalagens. Todos querem que seu produto pareça maior, mais elegante e mais "qualquer coisa" que os concorrentes. Nessa hora entram em ação criatividade e "design", mas essa criatividade deve basear-se no conhecimento dos gostos e preferências de seus consumidores.

O *tipo de material* a ser utilizado também determina, em grande parte, o formato. Se seu produto tiver embalagem primária de vidro ou de plástico rígido, ela poderá apresentar, praticamente, qualquer formato. No entanto, se esta for de plástico flexível, papel ou cartão, nestes casos as limitações dos formatos são muito grandes. Como dissemos, ao tratar de logotipo, a criatividade tem que ser maior, quanto maior for a limitação de criar.

Material

Acabamos de ver que uma das influências do material escolhido para a embalagem é o formato. Mas o tipo do material, nem sempre, é determinado pelo gosto pessoal do fabricante.

Ao levar em consideração a proteção do produto contra a luz, o ar, o calor etc. é que o material a ser utilizado na embalagem será definido.

Nessa equação toda, como sempre, o *custo* é que terá a última palavra. No entanto, essa última palavra será dada de acordo com os diversos materiais que poderão dar todos aqueles tipos de proteção de que o produto precisa. Nenhum fabricante iria arriscar escolher uma embalagem tecnicamente inadequada, apenas por razões de custo. Mesmo porque, nesse caso, o custo seria maior. Devoluções e insatisfação do consumidor são custos irrecuperáveis.

A escolha do material da embalagem pode se dar, também, por razões de *segurança de uso*. Antigamente os xampus tinham embalagem de vidro, material muito mais nobre e protetor do que os frascos plásticos usados hoje. Frequentemente esses vidros escorregavam da mão molhada, durante o banho, e faziam um estrago no piso do box do chuveiro, chegando até a provocar cortes no consumidor. Então, embora o vidro seja um material que confira mais nobreza a um produto e dá maior proteção ao perfume do xampu, hoje em dia nenhum fabricante ousaria lançar um xampu em frasco de vidro.

Construção

Além do apelo de vendas da embalagem, seu formato e material são determinados pela facilidade ou dificuldade da construção da embalagem que o fabricante imaginou ter para seu produto.

Algumas construções, com ângulos diferentes de 90 graus, não podem ser executadas com determinados materiais ou, mesmo que se consiga executar, isso se dá a um custo que tira do produto a possibilidade de entrar no mercado. Ou, o que é pior, algumas construções e formatos não dão a devida proteção ao produto. Outros formatos são determinados pelas características da linha de produção: muitas máquinas de enchimento não são tão adaptáveis como a gente gostaria que fossem; trabalham melhor com determinado material de embalagem, ou apresentam limitações de altura, ou de volume etc.

Fechamento/Vedação

Uma vez que a proteção do produto é a função primordial da embalagem, este aspecto é um dos mais determinantes na escolha da embalagem de seu produto. Tanto o material como o formato e o tamanho devem ser decididos em função da melhor proteção possível ao produto. Até mesmo a decoração da embalagem deve levar em conta a proteção do produto. Sei de casos em que a tinta da impressão do envoltório primário de chocolates conferia um odor desagradável ao produto embalado. Esse odor ia se acentuando com o passar do tempo e com as condições de armazenagem em locais mais quentes. Na hora de embalar, ninguém percebia o problema. Não vou citar o nome do chocolate para não desmerecê-lo. O fato é que, depois de dezenas de reclamações de consumidores, e de horas e horas de pesquisas técnicas, o fabricante foi obrigado a retirar da embalagem um certo tom de marrom, cuja mistura de tintas impregnava o celofane com o cheiro que passava ao chocolate, deixando-o intragável. Isso mostra a necessidade de fazer testes exaustivos antes de lançar um produto no mercado: testes de tempo de validade, testes de envelhecimento, testes de praticidade de uso, de resistência ao transporte, de adequação às prateleiras de supermercados.

Decoração

Uma boa decoração da embalagem deve estar de acordo tanto com a natureza do produto como com o gosto do público-alvo. Aspecto feminino para um cosmético, alegria para um brinquedo, solidez para uma ferramenta, *sex appeal* para roupa íntima, seriedade para medicamento, apetite para alimento, e assim por diante.

O uso das cores apropriadas para a natureza do produto, também é, conforme vimos no capítulo sobre o assunto, parte importante do marketing.

A decoração de uma "família" de produtos, como linhas de alimentos congelados, cosméticos, produtos de limpeza doméstica, ou outra qualquer linha de produtos que precise ser caracterizada como um conjunto homogêneo, deverá, necessariamente, manter coerência em seu aspecto externo. A exposição coletiva desses produtos deve comunicar ao consumidor que se trata de uma linha com personalidade definida. Além disso, qualquer esforço de divulgação ou propaganda que se faça com um dos itens, de alguma forma, será aproveitado pelos demais produtos da linha.

Se olhar num supermercado verá que os detergentes da Minerva, embora sejam de diversos perfumes e diversas cores, transmitem a mesma qualidade e têm a mesma eficiência, além de serem direcionados ao mesmíssimo público-alvo.

O mesmo se pode dizer dos diversos sabores do molho Pomarola e de tantas outras "famílias" de produtos. É essa coerência que, infelizmente, não é encontrada nos produtos dos pequenos fabricantes. Esses fabricantes foram estendendo suas linhas de produtos aos poucos, e deixando que cada novo rótulo fosse desenvolvido por pessoas diferentes ou diferentes agências, que não tiveram o cuidado de estudar o assunto e elaboraram uma embalagem que nada tem a ver com suas "irmãs" mais velhas. Pode até ser que cada uma delas seja, individualmente, muito bonita e atraente, mas pecam por não terem aquele sentido de unidade.

IMPLICAÇÕES LEGAIS

No entanto nem tudo aquilo que você gostaria de fazer ou deixar de fazer na embalagem de seu produto pode ser uma decisão sua. A legislação brasileira, como a de diversos países, interfere decisivamente na decoração, na construção, no tamanho, na forma e nos materiais que compõem uma embalagem.

Os produtos de origem animal são os mais tutelados. As carnes, leite e derivados, o mel de abelhas, quando para uso humano, devem ter seus rótulos e embalagens previamente aprovados pelo Ministério da Agricultura, que possui uma imensidão de normas, leis, portarias, decisões e exigências. Desde a impressão do carimbo "SIF" com regulamentação de tamanhos, cores, formatos e textos legais até os materiais das embalagens. Remédios, alimentos, cosméticos, produtos de limpeza doméstica, confecções e, praticamente, todos os produtos industrializados devem seguir normas legais de rotulação, tamanho e formato. Antes de finalizar uma nova embalagem, é indispensável que tenha a certeza de que ela se enquadra nas exigências legais. O mais seguro é consultar um despachante especializado em embalagens e ele se encarregará de conseguir os números de registro e os dizeres que deverão constar do rótulo. O código de barras é hoje uma exigência do comércio. A confecção do código de barras possui uma série de requisitos técnicos e práticos, e também seria melhor consultar uma empresa especializada. A máquina leitora do código de barras é um instrumento eletrônico de alta precisão e recusa-se a ler códigos com dimensões fora das especificações; esses dispositivos eletrônicos não leem códigos cuja cor predominante seja o vermelho, como o próprio vermelho, laranja, marrom avermelhado, e outras nuances com forte proporção de vermelho em sua composição.

Distribuição

Deve-se levar em consideração, no desenvolvimento da embalagem, o tipo de transporte do produto, seja em caminhão aberto ou fechado, seja de navio ou avião etc. O local onde o produto será exposto ao consumidor, se em supermercados ou lojas especializadas, se ficará em freezers ou na via pública. Tudo isso irá influenciar o tipo, formato, material e decoração da embalagem. Se seu produto tem giro rápido nas prateleiras, até dá para usar a cor branca nas embalagens. Caso o giro seja mais lento, em poucos dias a embalagem branca, exposta, ficará suja e repelirá consumidores.

Conforme o tipo de distribuição, seu cuidado deve chegar até as embalagens de embarque, levando em conta o manuseio pouco cuidadoso dos caminhoneiros e doqueiros que, porventura, irão carregar e descarregar essas caixas, além do peso das embalagens, que também pode encarecer o frete e a estocagem.

A exposição em prateleiras não pode ignorar a possibilidade de empilhamento no supermercado e deve levar em conta a que tipo de iluminação essas embalagens estarão submetidas. Além disso, a visualização de um conjunto de embalagens, tais como elas serão expostas ao público, tem grande importância na escolha da decoração. Pode ser que um frasco de seu produto seja muito bonito e atraente quando visto isoladamente. Na hora em que coloca 10 ou 20 deles, lado a lado, em meio aos concorrentes, numa prateleira, imitando o que ocorrerá na prática, é possível que você chegue a conclusão que, aquele frasco, tão bonito sozinho, já não fica tão bem quando exposto em condições reais, isto é, em conjunto e ao lado dos concorrentes.

CARACTERÍSTICAS DA BOA EMBALAGEM

Uma embalagem, para ser boa, precisa atuar bem em várias "frentes de batalha". Não é suficiente que seja apenas uma boa ferramenta de vendas. Precisa funcionar bem, e também, na hora da fabricação do produto, ser interessante para o distribuidor poder transportar com facilidade, oferecer possibilidades de armazenagem para os atacadistas e varejistas, apresentar segurança contra violação nos supermercados e, acima de tudo, ser prática e de manuseio facilitado para o consumidor final.

A criação e o desenvolvimento de uma boa embalagem deve demandar os maiores cuidados por parte do empresário que, muitas vezes, na ansiedade ou afobação de ver seu produto logo "na rua", sendo vendido, abre mão de certos detalhes, em favor da pressa. Depois de tudo o que já falamos sobre esse assunto, tenho a certeza que você já está convencido de que todos os pontos devem ser checados, antes que sua empresa passe a usar qualquer embalagem, daqui para a frente. Se, no entanto, está achando que é muita coisa para checar, pelo menos a listinha a seguir precisa ser satisfeita:

Econômica

- Para fabricar.
- Para preencher, com equipamento e mão-de-obra existentes.
- Para movimentar.

Funcional

- Para transportar.
- Para armazenar no comerciante.
- Para guardar em casa, não exigindo espaço ou cuidados especiais.

Comunicativa

- Marca em destaque.
- Personalidade.
- Identificação do produto.
- Instruções de uso e cuidados no manuseio.
- Que se destaque entre os concorrentes.

Atraente

- Cores adequadas à natureza do produto.
- Impacto gráfico.
- Se possível, reutilizável pelo consumidor.

Acho que agora, com essa lista reduzida, não há porque lançar embalagens comprometedoras.

Dê uma olhada crítica em suas atuais embalagens e veja se todas elas se enquadram perfeitamente em todos esses itens. Mas seja bem exigente. Tão exigente quanto o consumidor.

Se alguma delas não se enquadrou, está na hora de ser mudada.

MUDANÇA DE EMBALAGEM

As mudanças de embalagem, na maioria das vezes, ocorrem por razões de marketing.

Algumas indústrias, como a de brinquedos, alteram quase todas as suas embalagens anualmente. Outras, no entanto, mantêm a mesma embalagem por anos a fio e somente as modificam por uma ou mais das seguintes razões:
- Mudança de embalagem de um forte concorrente, geralmente o líder do mercado.

- Mudança na estrutura de preços, obrigando a busca de opção mais barata ou, em caso oposto, mais sofisticada.
- Melhoria na formulação do produto, que pode passar a exigir uma proteção menor ou maior.
- Aparecimento de novos materiais ou equipamentos.
- Mudança de hábitos ou preferências do consumidor, detectadas por meio de pesquisas e observações pessoais.
- Queda nas vendas ou na participação de mercado.
- Introdução do produto em um novo canal de distribuição com exigências técnicas e comerciais diferentes daquelas dos canais atuais.
- Exigência legal.
- Melhoria na proteção do produto.

Em qualquer mudança de embalagem há o risco de confundir os atuais consumidores e de não atrair novos. O aconselhável é que as mudanças sejam pouco radicais, principalmente no visual. Mesmo a substituição de tamanhos, deve ser feita gradualmente, deixando que o novo tamanho conviva por um bom tempo com o antigo, para dar oportunidade de o consumidor migrar naturalmente para o novo tamanho, sem se sentir lesado pelo fabricante que, a seu ver, o estaria constrangendo a usar um tamanho diferente daquele ao qual ele estava habituado. O consumidor deve perceber que ele continua dono da escolha.

Infelizmente, nas grandes empresas, toda vez que ocorre alguma alteração no quadro de funcionários da área de marketing, a primeira providência do novo gerente é trocar rótulos e embalagens. É uma estratégia usada para ganhar tempo e ir se firmando no novo emprego. Geralmente, uma mudança de rótulos numa grande empresa costuma demorar mais de um ano, entre a escolha da nova agência, a elaboração dos perfis dos diversos produtos e seus consumidores (chama-se *briefing*), apresentação da agência, recusa das primeiras sugestões etc. Nesse período o novo gerente está justificando sua presença no novo emprego, com o argumento de que está atarefadíssimo. Felizmente, o Micro ou Pequeno empresário não tem que conviver com esse tipo de embromação e pode decidir, embora com todo o critério, muito mais rápida e objetivamente.

Qualquer que tenha sido a razão que levou sua empresa a efetuar uma troca de embalagem, tenha sempre em mente que as personalidades da marca e da própria empresa devem sempre ser preservadas.

Pela extensão deste capítulo, meu caro Micro ou Pequeno empresário, dá para perceber a enorme importância que o marketing atribui à embalagem. Apenas arranhamos alguns dos milhares de tópicos que podem e devem ser analisados. Portanto, nunca é demais insistir: não é aconselhável deixar a criação e o desenvolvimento de embalagens em mãos de curiosos ou de amadores. É o tipo da falsa economia, que pode determinar o sucesso ou o fracasso de sua empresa.

CTP, Impressão e Acabamento IBEP Gráfica